Amar ou depender?

Walter Riso

Amar ou depender?

Como superar o apego afetivo e fazer do amor uma experiência plena e saudável

Tradução
Sandra Martha Dolinsky

Copyright © Walter Riso
c/o Schavelzon Graham Agencia Literaria
www.schavelzongraham.com
Copyright © Editora Planeta do Brasil, 2021
Copyright de tradução © Sandra Martha Dolinsky
Todos os direitos reservados.
Título original: ¿Amar o depender? Cómo superar el apego afectivo y hacer del amor una experiencia plena y saludable

Preparação: Diego Franco Gonçales
Revisão: Fernanda Guerriero Antunes e Laura Folgueira
Diagramação: Abreu's System
Capa e imagem de capa: Estúdio Insólito

Dados Internacionais de Catalogação na Publicação (CIP)
Angélica Ilacqua CRB-8/7057

Riso, Walter
  Amar ou depender? – como superar o apego afetivo e fazer do amor uma experiência plena e saudável / Walter Riso; tradução de Sandra Martha Dolinsky. – São Paulo: Planeta, 2021.
  192 p.

  ISBN 978-65-5535-553-6
  Título original: ¿Amar o depender? Cómo superar el apego afectivo y hacer del amor una experiencia plena y saludable

  1. Relações humanas – Aspectos psicológicos 2. Dependência (Psicologia) 3. Casais – Psicologia I. Título II. Dolinsky, Sandra Martha

21-4617   CDD 158.1

Índice para catálogo sistemático:
1. Amor e relacionamentos – Autoajuda

 Ao escolher este livro, você está apoiando o manejo responsável das florestas do mundo

2025
Todos os direitos desta edição reservados à
EDITORA PLANETA DO BRASIL LTDA.
Rua Bela Cintra, 986 – 4º andar
01415-002 – Consolação – São Paulo-SP
www.planetadelivros.com.br
faleconosco@editoraplaneta.com.br

Para Mauricio, companheiro de travessuras e cúmplice de vocação. À sua incrível capacidade de ligar os pontos, perseguir pensamentos e degustar afetos com paciência. A meu amigo de alma, que foi embora sem dizer adeus.

"E morro porque não morro..." Eterno prazer amargo esse do amor! Perpétuo desejo de possuir sua alma, e perpétua distância de sua alma! Sempre seremos você e eu; sempre, apesar de meus olhos olharem bem de perto os seus olhos, haverá um espaço onde cada um forma uma imagem mentirosa do outro...

Como é possível entender o que você sente ao ouvir aquela música, se minha alma é diferente da sua?

Egoísmo amargo, esse do amante: querer ser um onde há dois; querer lutar com o espaço, com o tempo e com o limite!

FERNANDO GONZÁLEZ

Sumário

Apresentação 15
Introdução 19

PARTE I: Entendendo o apego afetivo 23

Sobre algumas inconveniências do apego
afetivo: esclarecimentos e mal-entendidos 25
    APEGO É DEPENDÊNCIA 25
    DESEJO NÃO É APEGO 32
    DESAPEGO NÃO É INDIFERENÇA 33
    O APEGO DESGASTA E FAZ ADOECER 36

Imaturidade emocional:
o esquema central de todo apego 38
    BAIXOS LIMIARES PARA O SOFRIMENTO,
    OU A LEI DO MÍNIMO ESFORÇO 39
    BAIXA TOLERÂNCIA À FRUSTRAÇÃO,
    OU O MUNDO GIRA AO MEU REDOR 43

Ilusão de permanência,
ou daqui até a eternidade.................................. 45

Quais são as coisas da relação às quais nos apegamos?
O menu personalizado da vida a dois..................... 51

1. A vulnerabilidade à dor e o apego à
segurança/proteção.. 54
2. O medo do abandono e o apego à
estabilidade/confiabilidade....................................... 56
3. A baixa autoestima e o apego às
manifestações de afeto.. 58
4. Os problemas de autoconceito
e o apego à admiração... 61
5. O apego "normal" ao bem-estar/prazer
de toda boa relação... 62

PARTE II: Prevenindo o apego afetivo
Como promover a independência afetiva
e continuar amando mesmo assim.......................... 67

O princípio da exploração e o risco responsável..... 71

Por que esse princípio gera imunidade
ao apego afetivo?... 76
Algumas sugestões práticas..................................... 77
   1. Brincadeira e espontaneidade............................ 77
   2. Mergulho no intelectual..................................... 80

3. Incursão na arte 81
4. Ensaios de comportamento 82
5. Viagens e geografia 84
6. Conhecer gente 85

O princípio da autonomia, ou ser responsável por si mesmo 86

A DEFESA DA TERRITORIALIDADE E A SOBERANIA AFETIVA 88
O RESGATE DA SOLIDÃO 91
A AUTOSSUFICIÊNCIA E A AUTOEFICÁCIA 94
POR QUE O PRINCÍPIO DA AUTONOMIA GERA IMUNIDADE AO APEGO AFETIVO? 96
ALGUMAS SUGESTÕES PRÁTICAS 97
1. Ser responsável por si mesmo 97
2. Curtir a solidão 99
3. Tentar vencer o medo 102

O princípio do sentido da vida 105

A AUTORREALIZAÇÃO 106
A TRANSCENDÊNCIA 108
POR QUE O PRINCÍPIO DO SENTIDO DE VIDA GERA IMUNIDADE AO APEGO AFETIVO? 109
ALGUMAS SUGESTÕES PRÁTICAS 111
1. Não matar a vocação 111
2. Expandir a consciência 114

PARTE III: Vencendo o apego afetivo
Como se desligar dos amores doentios e não ter recaídas.... 119

O princípio do realismo afetivo 123

JUSTIFICAR O POUCO OU NULO AMOR RECEBIDO 128

1. "Ela me ama, mas não se dá conta" 128
2. "Seus problemas psicológicos a impedem de me amar" 129
3. "Esse é seu jeito de amar" 131
4. "Ele me ama, mas tem impedimentos externos" 133
5. "Ele vai se separar" 134

MINIMIZAR OS DEFEITOS DO PARCEIRO OU DA RELAÇÃO 134

6. "Ninguém é perfeito" ou "Há parceiros piores" 135
7. "Não é tão grave assim" 136
8. "Não me lembro de nada de ruim" 137

NÃO SE RESIGNAR À PERDA (I): ACHAR QUE AINDA HÁ AMOR ONDE NÃO HÁ 139

9. "Ele ainda me liga", "Ainda me olha", "Ainda pergunta por mim" 140
10. "Ainda fazemos amor" 143
11. "Ele ainda não tem outra pessoa" ou "Ainda está disponível" 144
12. "Ele vai perceber meu valor" 144

Não se resignar à perda (2): persistir obstinadamente
em recuperar um amor perdido 146
    13. "Deus vai me ajudar", "Fui a uma cartomante" ou "Fiz meu mapa astral" 146
    14. "Tentarei novas estratégias de sedução".................. 148
    15. "Meu amor e minha compreensão o curarão".......... 150
Não se resignar à perda (3):
afastar-se, mas não totalmente 152
    16. "Vou deixá-lo pouco a pouco" 152
    17. "Seremos só amigos" 154
    18. "Seremos só amantes"... 156
A modo de conclusão... 157

O princípio do autorrespeito e da dignidade pessoal 159
    A reciprocidade do amor... 160
    Quem me machuca não me merece........................ 165
    Humilhar-se jamais... 168
    Eliminar toda forma de autopunição..................... 174
    A modo de conclusão.. 177

O princípio do autocontrole consistente............ 179

Algumas palavras para concluir......................... 184

Bibliografia.. 187

Apresentação

O poeta hindu Rabindranath Tagore escreveu o seguinte relato poético sobre o amor:

> Liberta-me dos laços de tua doçura, amada! Chega desse vinho de beijos. Essa pesada nuvem de incenso sufoca meu coração. Abre as portas, deixa que penetre a luz do sol. Estou perdido em ti, enroscado nas dobras de teus louvores. Liberta-me de teu feitiço e devolve-me a virilidade, para que eu possa te oferecer meu coração livre.
> (*O jardineiro*)

Amar ou depender?, escrito por Walter Riso, é uma tentativa de purificar o amor e libertá-lo de seus elementos neuróticos, que, como "feitiços", fazem que nos percamos nas "dobras de seus louvores".

Muito já se escreveu sobre o amor; ele tem sido tema dos mitos antigos da Grécia, do Oriente e do Ocidente, abordado por filósofos, poetas e literatos de todas as épocas; e até os psicólogos falam timidamente dele. Por trás de todo o arsenal de documentos existentes, esconde-se a temerosa tentativa de descobrir os aspectos "perigosos" da mais cobiçada aspiração humana.

Por fim, Walter Riso decidiu nos mostrar a realidade e nos diz para não confundirmos amor com dependência afetiva, uma vez que esta última gera sofrimento e depressão. Milhões de pessoas no mundo são vítimas de relações amorosas inadequadas. O medo da perda, do abandono e de muitos outros aspectos faz que o amor inseguro possa nos machucar a qualquer momento.

Este livro pretende esclarecer aquilo que os especialistas em mitos denominam "demoníaco" nas grandes batalhas travadas nas profundezas da existência humana. Com tal propósito, a primeira parte desta obra aborda o apego afetivo e seus mal-entendidos, apontando os esquemas centrais de todo apego: os baixos limiares para o sofrimento, a baixa tolerância à frustração e a ilusão de permanência. Também apresenta, associados a essa dificuldade, a vulnerabilidade à dor, o medo do abandono, a baixa autoestima, os problemas de autoconceito.

A segunda parte deste livro nos mostra como promover a independência afetiva e fala da exploração, da autonomia e do sentido de vida.

A terceira parte, por fim, ensina o que fazer para nos desligarmos dos amores doentios mediante o princípio do realismo afetivo, o autorrespeito e o autocontrole.

Apresentação

Como se pode ver, Walter Riso retoma os princípios da ciência cognitiva e os traduz a uma linguagem simples e compreensível para qualquer pessoa, sem perder rigor e profundidade.

Este texto é útil não só como consulta para o público em geral mas também como complemento à terapia e como ponto de partida para realizar pesquisas que convalidem seus pressupostos teóricos.

Mas é obrigatório nos referirmos ao autor: esse argentino com raízes europeias já nos entusiasmou com muitas facetas de sua caneta. Inicialmente, escreveu livros de cunho científico, nos quais desenvolveu temas como a assertividade, a depressão e a terapia cognitivo-informacional. Depois, começou a incursionar como autor de textos de divulgação científica de psicologia, que derivavam de sua prática clínica e de suas pesquisas: *Apaixone-se por si mesmo*, *Deshojando Margaritas* [Despetalando margaridas], *Sabiduría Emocional* [Sabedoria emocional], *Intimidades masculinas*, *Cuestión de Dignidad* [Questão de dignidade]. Também como romancista, ele nos surpreendeu com uma de suas obras: *Amor, Divina Locura* [Amor, divina loucura].

Essa capacidade multivariada foi o segredo de seu sucesso, e por isso ele se tornou um dos escritores mais lidos dentro e fora do país. Como catedrático, pesquisador, colunista, palestrante, entrevistado e convidado nos meios de comunicação, ele nos provoca com sua clareza, precisão e a autenticidade de sua palavra.

Seja bem-vindo a esta edição de *Amar ou depender?*

ENRIQUE LEÓN ARBELÁEZ CASTAÑO,
decano da Faculdade de Psicologia
da Universidad de San Buenaventura

Introdução

Este livro nasce da experiência de ter tido contato com uma infinidade de pessoas vítimas de um amor mal concebido ou doentio. Embora a psicologia tenha avançado no tema das dependências, como o abuso de substâncias, o jogo patológico e os transtornos de alimentação, no assunto da dependência afetiva o vazio é inegável. O amor é um tema difícil e escorregadio, e por isso assusta. Uma grande porcentagem de pacientes psicológicos ou psiquiátricos se consulta por problemas derivados de uma dependência afetiva extrema que os impede de estabelecer relações amorosas adequadas. Essa dependência afetiva mostra as características de qualquer outra dependência, mas com certas peculiaridades que ainda precisam ser estudadas mais a fundo. Não existem campanhas de prevenção primária ou secundária nem tratamentos muito sistematizados contra o mal de amor.

Em termos psicológicos, sabemos muito mais de depressão que de mania. Em outras palavras, a ausência de amor tem nos preocupado muito mais que o excesso afetivo.

Por questões culturais e históricas, a dependência afetiva, com exceção de algumas tentativas orientalistas mais espirituais que científicas, tem passado despercebida. O amor desmedido não nos impacta tanto quanto o desamor. Superestimamos as vantagens do amor e minimizamos suas desvantagens. Vivemos com o apego afetivo ao nosso redor: nós o aceitamos, permitimos e patrocinamos. Do ponto de vista psicossocial, vivemos em uma sociedade codependente dos desmandos do amor.

Quem nunca esteve sob os efeitos do apego amoroso? Quando o amor obsessivo é disparado, nada parece poder detê-lo. O bom senso, a farmacoterapia, a terapia eletroconvulsiva, os médiuns, a regressão e a hipnose fracassam em uníssono. Nem magia nem terapia. A dependência afetiva é o pior dos vícios.

Esta obra pode ser inscrita nas categorias de divulgação científica, autoajuda ou superação pessoal. É organizada em três partes, em que são expostos seis princípios básicos "antiapego". A primeira ("Entendendo o apego afetivo") apresenta uma visão geral do tema do apego, esclarece conceitos e introduz o leitor a uma compreensão amigável e útil do assunto. Sem essa aproximação, seria difícil assimilar as outras seções. A segunda ("Prevenindo o apego afetivo") busca oferecer algumas ferramentas para promover a independência afetiva e, mesmo assim, continuar amando. Dirige-se a qualquer pessoa que queira melhorar sua relação ou criar um estilo afetivo mais imune ao apego. De qualquer maneira, pode ser igualmente útil para quem terminou ou quer terminar uma relação disfuncional; postulam-se três princípios preventivos. A terceira parte ("Vencendo o apego afetivo") é a mais extensa. Seu conteúdo visa propiciar estratégias para se desligar de relações inadequadas e não recair na tentativa. A sequência foi organizada partindo de casos estudados durante vinte anos de exercício profissional e com base na moderna terapia cognitivo-afetiva, cuja proposta eu sigo; mais uma vez, são postulados três princípios terapêuticos. Depois de ler a primeira parte, pode-se passar para a segunda ou a terceira. A ordem posterior será definida pela necessidade do leitor.

Dando sequência à posição assumida em meu livro *Deshojando Margaritas*, este mantém uma postura realista diante do tema do amor. Ressalta a relevância de alguns "autos" fundamentais, como o autorrespeito e o autocontrole; indica as deficiências do autoengano e promove estilos independentes, como a exploração, a autonomia e o sentido de vida. A premissa que guiou sua elaboração é que amar só se justifica quando podemos fazê-lo de forma limpa, com honestidade e liberdade. Cada ideia visa à meta otimista de que é possível, sim, amar sem apegos. E, o que é mais importante, vale a pena tentar. Este livro dirige-se a todas aquelas pessoas que querem fazer do amor uma experiência plena, alegre e saudável.

PARTE I

Entendendo o apego afetivo

O amor não é só um sentimento. É também uma arte.

Balzac

Sobre algumas inconveniências do apego afetivo: esclarecimentos e mal-entendidos

Apego é dependência

Depender da pessoa que se ama é uma maneira de se enterrar em vida, um ato de automutilação psicológica em que o amor-próprio, o autorrespeito e a essência de si mesmo são ofertados e doados irracionalmente. Quando o apego está presente, entregar-se, mais que um ato de carinho desinteressado e generoso, é uma maneira de capitulação, uma rendição guiada pelo medo a fim de preservar o que a relação oferece de bom. Sob o disfarce do amor romântico, o indivíduo apegado começa a sofrer uma despersonalização lenta e implacável, até se tornar um anexo da pessoa "amada", um simples apêndice. Quando a dependência é mútua, o enredo é funesto e tragicômico: se um espirra, o outro assoa o nariz. Ou, em uma descrição igualmente malsã: se um está com frio, o outro põe o casaco.

"Minha vida não tem sentido sem ela", "Vivo por ele e para ele", "Ela é tudo para mim", "Ele é a coisa mais importante de minha vida", "Não sei o que faria sem ela", "Se ele me faltasse, eu me mataria", "Eu idolatro você", "Eu preciso de você"... Enfim, a lista desse tipo de expressões e "declarações de amor" é interminável e bastante conhecida. Em mais de uma ocasião, nós as recitamos, cantamos debaixo de uma janela, escrevemos, ou elas simplesmente brotam sem pudor algum de um coração palpitante e desejoso de comunicar afeto. Achamos que essas afirmações são demonstrações de amor, representações verdadeiras e confiáveis do mais puro e incondicional dos sentimentos. De maneira contraditória, a tradição sempre pretendeu nos inculcar um paradigma distorcido e pessimista: *o verdadeiro amor, irremediavelmente, deve estar infectado de dependência.* Um absurdo sem tamanho. Não importa o que se diga, a obediência devida, o apego e a subordinação que caracterizam o estilo dependente não são a coisa mais recomendável.

A epidemiologia do apego é assustadora. Segundo os especialistas, metade das consultas psicológicas se devem a problemas ocasionados pela dependência patológica interpessoal ou relacionados a ela. Em muitos casos, apesar da nocividade da relação, as pessoas são incapazes de dar fim a ela. Em outros, a dificuldade reside em uma incompetência total para resolver o abandono ou a perda afetiva. Ou seja: ou a pessoa não se resigna à ruptura, ou permanece, inexplicável e obstinadamente, em uma relação que não tem nem pé nem cabeça.

Uma paciente minha fazia a seguinte descrição de sua "relação amorosa": "Namoro há doze anos, mas estou começando a me cansar... O problema não é o tempo, e sim o tratamento que recebo... Não, ele não me bate, mas me trata muito mal... Diz que sou feia, que tem nojo de mim, principalmente de meus dentes, que meu hálito cheira a... (pranto)... Desculpe, mas dói dizer... que meu hálito cheira a podridão... Quando estamos em um lugar público, ele me faz andar na frente para que não o vejam comigo, porque sente vergonha... Quando lhe dou alguma coisa, se ele não gosta, grita e me chama de 'tonta' ou 'retardada', quebra o presente ou o joga no lixo, tomado da fúria... Sempre sou eu que pago. Outro dia, levei para ele um pedaço de bolo, e, como o achou pequeno, jogou inteiro no chão e o esmagou com o pé... Comecei a chorar... Ele me insultou e disse para ir embora da casa dele, que, se eu não era capaz de comprar um mísero bolo, não era capaz de nada... Mas o pior é quando estamos na cama... Ele não gosta que eu o acaricie ou abrace... Beijos, nem pensar... Depois de se satisfazer sexualmente, ele se levanta imediatamente e vai tomar banho... (pranto)... Diz que é para eu não lhe passar nenhuma doença... Que a pior coisa que pode acontecer é ele ter que levar um pedaço de mim grudado nele... Ele me proíbe de sair e ter amigas, mas ele tem muitas... Se eu reclamo porque sai com mulheres, ele diz que é melhor terminarmos, que não vai aguentar uma namorada insuportável como eu...".

O que pode levar uma pessoa a aguentar esse tipo de ofensas e se submeter desse jeito? Quando lhe perguntei por que não o deixava, ela respondeu, meio triste, meio esperançosa: "É que eu o amo... Mas sei que você vai me ajudar a me desapaixonar, não é?". Ela buscava o caminho fácil: o alívio, mas não a cura. As reestruturações afetivas e as revoluções internas, quando reais, são dolorosas. Não existe uma poção mágica para acabar com o apego. Eu lhe respondi que não achava que alguém deveria esperar se desapaixonar para terminar uma relação, e que duvidava de que se pudesse chegar ao desamor à base de vontade e razão (se assim fosse, o processo inverso também seria possível; e, como mostram os fatos, a pessoa não se apaixona pelo que quer, e sim pelo que pode). Para ser mais exato, eu lhe disse que seu caso precisava de um enfoque similar aos utilizados em problemas de dependência química, quando o dependente deve largar a droga apesar do desejo: "O que a terapia tenta promover nas pessoas dependentes é basicamente autocontrole, para que, mesmo precisando da droga, sejam capazes de lutar contra a urgência e a vontade. No equilíbrio entre custo e benefício, elas aprendem a sacrificar o prazer imediato pela gratificação de médio ou longo prazo. O mesmo ocorre com outros tipos de vícios, por exemplo, comida ou sexo. Você não pode esperar se desapaixonar para deixá-lo. Primeiro, você tem que aprender a superar os medos que se escondem por trás do apego, melhorar sua autoeficácia, aumentar sua autoestima e seu autorrespeito, desenvolver estratégias de solução de problemas e um maior autocontrole, e tudo isso sem deixar de sentir o que sente por ele. Por isso é tão difícil. Repito, o dependente químico precisa abandonar o consumo mesmo que seu organismo não queira isso. Ele tem que lutar contra o impulso porque sabe que não lhe faz bem. Mas, enquanto luta e persiste, a vontade está ali, quieta e pungente, dentro de seu ser, disposta a atacar. Não se chega ao desamor durante esse processo, ele chegará depois. Além do mais, quando você começar a se tornar independente, descobrirá que o que sentia por ele não era amor, e sim uma forma de dependência psicológica. Não há outro caminho, você tem que se libertar dele sentindo que o ama, mas que ele não lhe faz bem. Uma boa relação precisa de muito mais que afeto em estado puro".

O "sentimento de amor" é a variável mais importante da equação interpessoal amorosa, mas não é a única. Uma boa relação a dois também deve se fundamentar no respeito, na comunicação sincera, no desejo, nos gostos, na religião, na ideologia, no humor, na sensibilidade e em mais cem suportes de sobrevivência afetiva.

Minha paciente era *viciada na relação*, ou, se preferir, uma *dependente afetiva*. Ela apresentava a mesma sintomatologia de um transtorno por consumo de substâncias, só que, nesse caso, a dependência não estava relacionada com a droga, e sim com a segurança de ter alguém, mesmo que fosse uma companhia terrível. O diagnóstico de dependência se fundamentava nos seguintes pontos: (a) apesar do mau tratamento, a dependência havia aumentado com o passar dos meses e anos; (b) a ausência de seu namorado, ou não poder ter contato com ele, gerava uma completa síndrome de abstinência que, para piorar, não se podia resolver com nenhuma outra "droga"; (c) existia nela um desejo persistente de deixá-lo, mas suas tentativas eram infrutíferas e pouco contundentes; (d) ela investia uma grande quantidade de tempo e esforço para poder estar com ele, a qualquer preço e acima de tudo; (e) havia uma clara redução e alteração de seu normal desenvolvimento social, profissional e recreativo devido à relação; e (f) ela continuava alimentando o vínculo, apesar de ter consciência das graves repercussões psicológicas para sua saúde. Um caso de "amorodependência", mas sem muito amor.

Vale a pena esclarecer que, quando falo de apego afetivo, estou me referindo à dependência psicológica em relação ao companheiro. Os vínculos de amizade e de afinidade consanguínea constituem uma categoria qualitativamente diferente, e excedem o propósito deste texto. No entanto, é importante fazer um comentário: quando se estuda o apego na relação pais-filhos, a análise deve focar questões mais biológicas. O apego, nesse âmbito, parece cumprir uma importante função adaptativa. Sem desconhecer os possíveis riscos do amor maternal ou paternal asfixiante, é evidente que uma quantidade moderada de apego ajuda bastante que nós, pais, não joguemos a toalha, e que os filhos nos suportem. Quando o apego (*attachment* biológico) é decretado por leis naturais, não se deve descartá-lo; a questão é de sobrevivência. Mas, se o apego é mental (dependência psicológica), é preciso sair dele o quanto antes.

Daqui em diante, falarei indistintamente de apego afetivo, apego ao companheiro e apego afetivo ao companheiro.

Desejo não é apego

O desejo, por si só, não é o bastante para configurar a doença do apego. O gosto pela droga não é a única coisa que define o dependente, e sim sua incompetência para largá-la ou mantê-la sob controle. Abdicar, resignar-se e desistir são palavras que o apegado desconhece. Querer algo com todas as forças não é ruim; mas transformar esse algo em imprescindível é. A pessoa apegada nunca está preparada para a perda, porque não concebe a vida sem sua fonte de segurança e/ou prazer. *O que define o apego não é tanto o desejo quanto a incapacidade de renunciar a ele.* Se há síndrome de abstinência, há apego.

De uma maneira mais específica, poderíamos dizer que por trás de todo apego há medo e, mais atrás, algum tipo de incapacidade. Por exemplo, se eu for *incapaz* de ser responsável por mim mesmo, terei *medo* de ficar sozinho e me *apegarei* às fontes de segurança disponíveis representadas em diferentes pessoas. O apego é a muleta preferida do medo, um calmante com perigosas contraindicações.

O fato de você desejar seu parceiro, de o usufruir de cima a baixo, de não ver a hora de se enroscar em seus braços, de se deleitar com sua presença, seu sorriso ou sua mais doce bobagem não significa que você sofra de apego. O prazer (ou, se quiser, a sorte) de amar e ser amado é para ser curtido, sentido e saboreado. Se seu parceiro está disponível, aproveite-o até a exaustão; isso não é apego, e sim troca de reforçadores. Mas se o bem-estar recebido se torna indispensável, a urgência de vê-lo não o deixa em paz e sua mente se desgasta pensando nele: bem-vindo ao mundo dos dependentes afetivos.

Lembre-se: o desejo move o mundo e a dependência o freia. A ideia não é reprimir os desejos naturais que surgem do amor, e sim fortalecer a capacidade de se soltar quando for preciso. Um bom sibarita jamais cria dependência.

Desapego não é indiferença

Amor e apego nem sempre andam de mãos dadas. Nós é que os misturamos, a ponto de confundir um com o outro. Lembro-me de um aviso que pusemos na entrada de um centro de atendimento psicológico, com a seguinte frase de Krishnamurti: "O apego corrompe". Para nossa surpresa, em vez de gerar uma atitude construtiva e positiva em relação ao amor, a frase ofendeu mais de um cliente adulto. "Não entendo como vocês podem promover o desapego", comentava uma mulher com filhos adolescentes, meio decepcionada com seu psicólogo. Mas os mais jovens limitavam-se a apoiar o aviso: "Claro, é assim mesmo. Sem dúvida. É preciso desapegar para não sofrer!".

Equivocadamente, entendemos o desapego como coração duro, indiferença ou insensibilidade, e não é assim. O desapego não é desamor, e sim uma maneira saudável de se relacionar, cujas premissas são *independência, não possessividade* e *não dependência*. A pessoa não apegada (emancipada) é capaz de controlar seu medo do abandono, não acha que deve destruir sua própria identidade em nome do amor, nem promove o egoísmo e a desonestidade. Desapegar-se não é sair correndo em busca de um substituto afetivo, tornar-se um ser carente de ética ou instigar a promiscuidade. A palavra liberdade nos assusta, e por isso a censuramos.

Declarar-se afetivamente livre é promover afeto sem opressão, é distanciar-se do prejudicial e fazer contato com a ternura. O indivíduo que decide romper com a dependência de seu parceiro entende que se desligar psicologicamente não é fomentar a frieza afetiva, porque as relações interpessoais é que nos fazem humanos (as pessoas "apegadas ao desapego" não são livres, e sim esquizoides). Não podemos viver sem afeto, ninguém pode, mas podemos amar sem escravidão. Uma coisa é defender o laço afetivo, e outra bem diferente é se enforcar com ele. O desapego não é mais que uma escolha que grita: *o amor é ausência de medo*.

Sobre algumas inconveniências do apego afetivo

Um adolescente que havia decidido "desapegar-se amando" mandou uma carta a sua namorada dando-lhe a notícia – carta que ela devolveu, em um saquinho de lixo, despedaçada. Cito a seguir um trecho dela: "[...] Quando você está ao meu lado, adoro, curto, fico feliz, meu espírito se exalta; mas quando não está, mesmo que eu sinta sua falta, posso continuar vivendo. Assim como consigo curtir uma manhã de sol, meu prato preferido continua sendo apetitoso (mas como menos), não paro de estudar, minha vocação continua em pé e continuo gostando de meus amigos. É verdade que me falta algo, que há certa intranquilidade em mim, que sinto saudades de você, mas vou em frente. Fico triste, mas não deprimido. Posso continuar sendo responsável por mim mesmo, apesar de sua ausência. Eu te amo, você sabe que não estou mentindo, mas isso não quer dizer que não seja capaz de sobreviver sem você. Eu aprendi que o desapego é independência, e essa é minha proposta [...]. Chega de atitudes possessivas e dominantes [...]. Sem trair nossos princípios, amemo-nos em liberdade e sem medo de ser o que somos [...]".

Por que nos ofendemos se o outro não se angustia com nossa ausência? Por que nos desconcerta tanto que nosso parceiro não sinta ciúmes? Estamos realmente preparados para uma relação não dependente? Você já tentou? Está disposto a correr o risco de não dominar, de não possuir e aprender a perder? Você já se propôs seriamente enfrentar seus medos e empreender a aventura de amar sem apego, não como algo teórico, mas, sim, de fato? Se sim, deve ter descoberto que não existe nenhuma contradição evidente entre ser dono de sua própria vida e amar a pessoa que está ao seu lado, não é? Não há incompatibilidade entre amar ao outro e amar a si mesmo. Ao contrário, quando ambas as formas de afeto se dissociam e desequilibram, surge a doença mental. Quando a união afetiva é saudável, a consciência pessoal se expande e se multiplica no ato de amar. Ou seja, ela se transcende sem desaparecer. E. E. Cummings dizia assim: "Gosto de meu corpo quando está com seu corpo. É uma coisa tão nova. Músculos melhores e nervos mais ainda".

O APEGO DESGASTA E FAZ ADOECER

Outra característica do apego é a deterioração energética. Fazendo uma analogia com *A erva do diabo*, de Carlos Castañeda, poderíamos dizer que o dependente afetivo não é exatamente "impecável" na hora de otimizar e utilizar sua energia. Ele é um péssimo "guerreiro". O gasto excessivo de um amor dependente tem dupla face. Por um lado, o sujeito apegado faz um uso impressionante de recursos para reter sua fonte de gratificação. Os *dependentes ativos* podem se tornar ciumentos e hipervigilantes, ter ataques de ira, desenvolver padrões obsessivos de comportamento, agredir fisicamente ou chamar a atenção de maneira inadequada, inclusive mediante atentados contra a própria vida. Os *dependentes passivos* tendem a ser submissos, dóceis e extremamente obedientes para tentar ser agradáveis e evitar o abandono. O repertório de estratégias retentivas, segundo o grau de desespero e criatividade do apegado, pode ser diversificado, inesperado e especialmente perigoso.

A segunda forma de desperdício energético não é por excesso, e sim por falta. O sujeito apegado concentra toda a capacidade prazerosa na pessoa "amada", em detrimento do resto da humanidade. Com o tempo, essa exclusividade vai se transformando em fanatismo e devoção: "Meu parceiro é tudo". O prazer da vida se reduz a uma mínima expressão: a do outro. É como tentar compreender o mundo olhando-o pelo buraco de uma fechadura, em vez de escancarar a porta. Talvez o ditado tenha razão: "Não é bom pôr todos os ovos na mesma cesta"; definitivamente, é preciso distribui-los.

O apego faz adoecer, castra, incapacita, elimina opiniões, degrada e subjuga, deprime, gera estresse, assusta, cansa, desgasta e, por fim, acaba com qualquer resíduo disponível de humanidade.

Imaturidade emocional: o esquema central de todo apego

Embora o termo imaturidade possa ser ofensivo ou pejorativo para certas pessoas, sua verdadeira acepção não tem nada a ver com retardo ou estupidez. A imaturidade emocional implica uma perspectiva ingênua e intolerante diante de certas situações da vida, em geral desagradáveis ou aversivas. Aqueles que não tenham desenvolvido maturidade ou inteligência emocional adequada terão dificuldades diante do sofrimento, da frustração e da incerteza. Fragilidade, inocência, inexperiência ou amadorismo poderiam ser usados como sinônimos, mas, tecnicamente falando, o termo "imaturidade" se encaixa melhor no pouco autocontrole e autodisciplina que costumam apresentar os indivíduos que não toleram as emoções citadas. Em outras palavras, algumas pessoas estancam seu crescimento emocional em certas áreas, embora em outras funcionem maravilhosamente bem.

Indicarei as três manifestações mais importantes da imaturidade emocional relacionadas ao apego afetivo em

Imaturidade emocional: o esquema central de todo apego

particular e às dependências em geral: (a) baixos limiares para o sofrimento, (b) baixa tolerância à frustração e (c) ilusão de permanência.

Embora, na prática, esses três esquemas costumem se mesclar, eu os separarei para que possam ser mais bem apreciados. Vejamos cada um detalhadamente.

Baixos limiares para o sofrimento, ou a lei do mínimo esforço

Segundo certos filósofos e teólogos, a lei do mínimo esforço é válida inclusive para Deus. Independentemente da veracidade dessa afirmação, temos que admitir que o conforto, a vida boa e a aversão aos incômodos exercem uma atração especial sobre os humanos. Prevenir o estresse é saudável (o tormento pelo tormento não é recomendável para ninguém), mas ser melindroso, sentar e chorar diante do primeiro tropeço e querer que a vida seja gratificante vinte e quatro horas por dia é, definitivamente, infantil.

A incapacidade para suportar o desagradável varia de uma pessoa para outra. Nem todos nós temos os mesmos limites ou tolerância à dor. Alguns indivíduos são capazes de aguentar uma cirurgia sem anestesia, ou de desvincular facilmente da pessoa que amam porque não lhes faz bem, ao passo que outros têm que ser obrigados, sedados ou empurrados, porque são tão frágeis quanto manteiga.

Essas diferenças individuais parecem ser determinadas não só pela genética mas também pela educação. Uma pessoa que foi mimada, superprotegida e amparada de todo mal em seus primeiros anos de vida provavelmente não chegará a desenvolver a força (coragem, decisão, resistência) necessária para enfrentar as adversidades. Não terá o "calo" que distingue os que perseveram até o fim. A vida desse indivíduo será regida pelo princípio do prazer e pela evasão imediata de tudo que seja aversivo, por mais insignificante que seja. Repito: isso não implica fazer uma apologia do masoquismo e da autopunição nem fomentar o suplício como forma de vida, e sim reconhecer que qualquer mudança requer um investimento de esforço, um custo que os acomodados não estão dispostos a pagar. O sacrifício os faz adoecer e os incômodos os deprimem. A consequência é terrível: medo do desconhecido e apego ao passado.

Em outras palavras, se uma pessoa não suporta um mínimo tormento, se sente-se incapaz de enfrentar o desagradável e busca desesperadamente o prazer, o risco de dependência é alto. *Ela não será capaz de renunciar a nada de que goste, apesar das consequências nocivas, e não saberá sacrificar o prazer imediato pelo bem-estar de médio ou longo prazo; ou seja, não terá autocontrole.*

Imaturidade emocional: o esquema central de todo apego

Lembro o caso de uma paciente, uma administradora de empresas de uns 40 anos, casada em segundas núpcias com um homem bem mais novo. Uma de suas filhas adolescentes queixava-se repetidas vezes de que o padrasto a molestava sexualmente. A jovem relatava que em várias ocasiões havia acordado sobressaltada porque sentia alguém a tocar e o via se masturbando ao lado da cama. Quando a filha decidiu contar os fatos à mãe, esta resolveu pedir ajuda. Como sempre acontece nesses casos, o acusado negava qualquer participação no assunto. Depois de entrevistar várias vezes a menina e o homem, não tive dúvidas: o abuso existia, e o assédio também. Por exemplo, ele costumava tocá-la por baixo da mesa; ao se despedir com um beijo no rosto, os lábios dele buscavam os dela; ele entrava no quarto dela sem bater; fazia comentários sobre seus seios; enfim, o tormento era indiscutível.

A mãe, embora possa parecer estranho, estava paralisada. Quando eu lhe disse que sua filha estava sendo seriamente afetada pela perseguição sexual de seu marido, ela respondeu: "Não sei o que fazer, doutor... Isso é horrível... Ele é um bom homem... Teve problemas na infância e consumiu drogas na adolescência... faltou-lhe afeto... Não sei o que fazer... Não quero que minha filha sofra... Aconselhe-me". Minha resposta foi clara e direta: "Você tem consciência da gravidade do que está acontecendo? Realmente não sabe o que fazer? Ou sabe, mas não é capaz? Nada do que eu diga vai lhe servir, porque a resposta é óbvia... Seu marido é um perigo para sua filha... Você não quer ver a realidade porque não quer perdê-lo, mas lembre-se de que a saúde mental da menina está em jogo... Isso não é uma questão de conselhos, e sim de princípios. Tão grande é seu apego por esse homem, e tão pobre sua força? Embora isso doa, não vejo opção: do jeito que as coisas estão, é ele ou sua filha". Depois de pensar um pouco, ela disse: "Mas é que eu o amo muito...". Não havia nada a fazer. A mulher agradeceu minha "assessoria" e não voltou às consultas. Depois de alguns meses, fiquei sabendo que sua filha havia ido morar na casa de uma tia, e a mulher ainda mantinha as dúvidas iniciais. As grandes decisões sempre implicam dor, desorganização e perturbação. A vida não vem servida em bandeja de prata.

O pensamento central da pessoa apegada afetivamente e com *baixa tolerância ao sofrimento* se expressa assim:

Não sou capaz de renunciar ao prazer/bem-estar/segurança que me dá a pessoa que amo e suportar sua ausência. Não tenho tolerância à dor. Não importa quão nociva ou pouco recomendável seja a relação, não quero sofrer sua perda. Definitivamente, sou fraco. Não estou preparado para a dor.

Baixa tolerância à frustração, ou o mundo gira ao meu redor

A chave desse esquema é o egocentrismo, ou seja: "Se as coisas não são como eu gostaria que fossem, fico com raiva". Manha e chilique. Tolerar a frustração de que nem sempre posso obter o que espero implica saber perder e me resignar quando não há nada a fazer. Significa ser capaz de elaborar lutos, processar perdas e aceitar, mesmo que contrariado, que a vida não gira ao meu redor. Aqui não há narcisismo, e sim imaturidade.

O infantil reside na incapacidade de admitir que "não pode". Se negarmos um brinquedo a uma criança malcriada com o argumento real de que não temos dinheiro suficiente para comprá-lo, ela não entenderá a razão, não lhe importará. De jeito que for, ela exigirá que seu desejo lhe seja concedido. Gritará, chorará, baterá, enfim, expressará seu inconformismo das maneiras mais irritantes possíveis para conseguir o que quer. O "eu quero" é mais importante que o "não posso". Querer ter tudo sob controle é uma atitude inocente, mas pouco recomendável.

Muitos apaixonados não decodificam o que seu parceiro pensa ou sente, não compreendem ou ignoram, como se não existisse. Estão tão ensimesmados em seu mundo afetivo que não reconhecem as motivações alheias.

Não são capazes de descentrar-se e se colocar no lugar do outro. Quando sua cara-metade diz: "Não te amo mais, lamento", a dor e a angústia são processadas apenas de maneira autorreferencial: "Mas eu te amo!". Como se o fato de amar alguém fosse razão suficiente para ser amado. Embora seja difícil de digerir para os egocêntricos, as outras pessoas também têm o direito, e não o "dever", de nos amar. Não podemos subordinar o possível a nossas necessidades. Se não pode, não pode.

Os maus perdedores no amor são uma bomba-relógio. Quando o outro escapa de seu controle ou se afasta afetivamente, suas estratégias de recuperação não têm limites nem considerações; tudo é válido. O chilique pode incluir qualquer recurso com o fim de impedir o abandono. O fim justifica os meios.

Às vezes, nem sequer é amor pelo outro, e sim amor-próprio. Orgulho e necessidade de ganhar: "Quem ela pensa que é? Como se atreve a terminar comigo?". A imaturidade também pode se refletir no sentido de posse: "Ele é meu", "Ela é minha" ou "Não quero brincar com meu brinquedo, mas é meu e não empresto". Muitas vezes, não é a tristeza da perda que gera o desespero, e sim quem terminou com quem. Quando a pessoa obtém novamente o controle, a revanche não se faz esperar: "Mudei de ideia. Realmente, não te amo mais". Ganhador absoluto. Uma paciente me disse: "Já estou mais tranquila... Fui e o reconquistei, tirei-o da outra, e agora sim... Agora acabou, mas porque eu decidi. É muito descaramento, não é, doutor? Cinco anos de namoro e me deixar de lado como um pano sujo... Mas não me importa mais, ele que faça o que quiser... Por que os homens são tão estranhos?".

O pensamento central da pessoa apegada afetivamente e com *baixa tolerância à frustração* se expressa assim:

Não sou capaz de aceitar que o amor fuja ao meu controle. A pessoa que amo tem que girar ao meu redor e fazer o que eu quero. Preciso ser o centro, e que as coisas sejam como eu gostaria que fossem. Não suporto frustração, fracasso ou desilusão. O amor deve ser à minha imagem e semelhança.

Ilusão de permanência, ou daqui até a eternidade

A estrutura mental do apegado contém uma duvidosa presunção filosófica em relação à ordem do universo. No afã de conservar o objeto desejado, a pessoa dependente, de uma maneira ingênua e arriscada, concebe e aceita a ideia do "permanente", do eternamente estável.

O efeito tranquilizador que essa crença tem sobre os dependentes é óbvio: *a permanência do provedor garante o abastecimento*. Embora seja evidente que nada dura para sempre (pelo menos nesta vida, o organismo inevitavelmente se degrada e se deteriora com o tempo), a mente apegada cria o anseio da continuação e perpetuação *ad infinitum*: a imortalidade.

Há mais de dois mil anos, Buda alertava sobre os perigos dessa falsa eternidade psicológica: "Todo esforço por nos apegarmos nos tornará infelizes, porque, cedo ou tarde, aquilo a que nos apegamos desaparecerá e passará. Ligar-se a algo transitório, ilusório e incontrolável é a origem do sofrimento. Tudo que é adquirido pode se perder, porque tudo é efêmero. O apego é a causa do sofrimento".

O paradoxo do sujeito apegado é patético: para evitar o sofrimento, ele instaura o apego, que aumenta o nível de sofrimento, que o levará de novo a fortalecer o apego e outra vez sofrer. O círculo se fecha sobre si mesmo e a via-crúcis continua. O apego é sustentado por uma falsa premissa, uma utopia impossível de alcançar e um problema sem solução. A frase a seguir, novamente de Buda, é de um realismo cru, mas esclarecedor: "Tudo flui, tudo muda, tudo nasce e morre, nada permanece, tudo se dilui; o que tem princípio tem fim, o nascido morre e o composto se decompõe. Tudo é transitório, insubstancial e, portanto, insatisfatório. Não há nada fixo a que se apegar".

Os "Três Mensageiros Divinos", como ele os chamava – doença, velhice e morte –, não perdoam. Temos a opção de nos rebelar e angustiar porque a realidade não segue o caminho que gostaríamos, ou enfrentá-la e aprender a viver com ela, inclusive com os mensageiros. Dizer que tudo acaba significa que as pessoas, os objetos ou as imagens nas quais projetamos nossas expectativas de amparo pessoal não correspondem a isso. Aceitar que nada é para a vida toda não é pessimismo, e sim realismo saudável. Inclusive pode servir de motivador para nos beneficiarmos do aqui e agora: "Se vou perder os prazeres da vida, melhor aproveitá-los enquanto posso". Essa é a razão pela qual os indivíduos que conseguem aceitar a morte como um fato natural, em vez de se deprimir, curtem cada dia como se fosse o último.

No caso das relações afetivas, a "certeza é incerta". O amor pode entrar pela porta principal e a qualquer momento sair pela dos fundos. Não estou dizendo que não existam amores duradouros e que o fracasso afetivo deva acontecer inevitavelmente. O que estou afirmando é que as probabilidades de ruptura são mais altas do que se pensa, e que o apego não parece ser o melhor candidato para proteger e manter uma relação. Infelizmente, não existe isso que chamamos de segurança afetiva. Quando tentamos alcançar esse sonho existencial, o vínculo se desvirtua. Alguns casais não são mais que um sequestro arranjado.

Um homem de 52 anos, separado e casado de novo, havia desenvolvido uma paranoia afetiva (ciúmes) por medo de que sua esposa, quinze anos mais nova e muito atraente, o traísse. Com o tempo, as estratégias retentivas desenvolvidas haviam se transformado em um verdadeiro arsenal de espionagem e controle; uma KGB em miniatura, personalizada e caseira. Detetives, gravações, proibições e uns tapas de vez em quando haviam conseguido pôr "em xeque" a atribulada moça; ou seja, "em seu lugar", totalmente imobilizada e controlada. Quando, às vezes, sob o sufoco esmagador da hipervigilância, a mulher insinuava um incipiente e dubitativo "não", ele acabava de imediato com a tentativa de sublevação: "Você tem sorte de estar comigo", dizia ele com profunda indignação. O que, em outros termos, significava: "Você é menos que eu". Essa atitude de dominação lhe permitia diminuir as probabilidades de perder sua esposa e criar a ilusão de permanência, a certeza virtual de que ela nunca o deixaria. Não lhe importava se fosse por amor ou pela força, o importante era segurá-la e mantê-la sob controle domiciliar. No entanto, sua ostentação de poder não era mais que uma fachada sem muito fundamento. Ele era muito mais fraco que ela. Na realidade, a submissão que a jovem mostrava não era fruto do apego, e sim uma estratégia de sobrevivência diante de um predador evidentemente perigoso. Ela queria se libertar e estava disposta a escapar na primeira oportunidade. Como costuma acontecer nesses casos, tanta perseguição e vigilância conseguiram fazer, por fim, que a tão temida profecia se tornasse realidade. Ela o trocou por outro; curiosamente, o detetive que seu próprio marido havia contratado. Ninguém sabe para quem trabalha.

Não existe relação sem risco. O amor é uma experiência perigosa e atraente, por vezes dolorosa e sensorialmente encantadora. Esse agridoce implícito em todo exercício amoroso pode ser especialmente fascinante para os atrevidos e terrivelmente ameaçador para os inseguros. O amor é pouco previsível, confuso e difícil de domesticar. A incerteza faz parte dele, assim como de qualquer outra experiência.

As pessoas que criam o esquema mental da permanência se surpreendem quando algo vai mal em sua relação: "Jamais pensei que isso fosse acontecer comigo", "Achei que eu nunca me separaria", "Parece impossível", "Não posso acreditar" ou "Não estava preparado para isso".

Aceito que, quando alguém se casa, não deve fazê-lo pensando na separação; seria absurdo ser tão pessimista. Mas uma coisa é o otimismo moderado, e outra é o pensamento mágico. O realismo afetivo implica não confundir possibilidades com probabilidades. Uma pessoa realista poderia argumentar algo assim: "Há muito pouca probabilidade de que meu relacionamento não dê certo; remotas, se preferir. Mas a possibilidade sempre existe. Estarei atento". Uma pessoa ingênua se deixará levar pela ideia romântica de que certos amores são invulneráveis e inalteráveis. E a queda pode ser fatal.

O pensamento central do indivíduo apegado afetivamente e com *ilusão de permanência* se expressa assim:

É impossível que nosso amor acabe. O amor é inalterável, eterno, imutável e indestrutível. Minha relação afetiva tem uma inércia própria e continuará para sempre, por toda a vida.

Quais são as coisas da relação às quais nos apegamos? O menu personalizado da vida a dois

Para que haja apego, deve haver algo que o justifique: ou evitar a dor, ou manter a satisfação. Ninguém se apega ao sofrimento pelo sofrimento em si. Nem mesmo os masoquistas se apegam à dor, e sim ao deleite de senti-la. O asceta busca a iluminação; o monge flagelante, a redenção; o suicida, a solução. Em cada caso, o prazer e a sensação de segurança psicológica se mesclam até criar uma espécie de "superdroga", altamente sensível à dependência. Essa mistura explosiva nem sempre fica evidente; pode aparecer inocentemente como bem-estar, tranquilidade, diversão, engrandecimento do ego, confiança, companhia, apoio ou simples presença física. Se pensarmos um pouco como funciona o apego afetivo em cada um de nós, veremos que a "supersubstância" (prazer/bem-estar mais segurança/proteção) está sempre presente, porque é o motivo do apego. Sem ela, não há dependência.

Uma paciente de 32 anos não era capaz de se separar do marido, apesar do evidente desamor que sentia, de não ter filhos, de ter uma boa posição econômica e de não ter impedimentos morais de tipo religioso. Não havia razão aparente para que ela continuasse nessa relação, especialmente se considerarmos que o marido era dependente de cocaína. Durante várias semanas, tentamos analisar as condições de vida e a história pessoal dela, para que ela pudesse tomar uma decisão entre duas opções possíveis: dar uma nova chance ao parceiro (acho que era a nona ou décima) ou se afastar definitivamente. Quando eu tentava chegar ao cerne de suas dúvidas e detectar os fatores que a impediam de se afastar, nada parecia explicar seu comportamento. Que prazer ou segurança ela podia obter com uma relação daquelas? Um dia qualquer, *en passant*, ela comentou que estava muito cansada porque não havia conseguido dormir esperando o marido, e logo acrescentou: "Para mim, é muito difícil dormir sozinha... Não é medo de ladrão ou de fantasmas, mas é que preciso que alguém me abrace por trás e proteja minhas costas... acomodar-me ao espaço que o outro me deixa... Por isso me cerco de travesseiros. É como construir um refúgio e entrar nele... Quando ele chega bêbado, eu praticamente me cubro com seu corpo... Eu o acomodo ao meu como um boneco de pano; ele nem percebe, e eu me sinto abrigada, protegida... Pensando bem, acho que para mim é muito importante dormir com alguém... Será por isso que não consigo me separar?".

Quais são as coisas da relação às quais nos apegamos?

O caminho havia começado a se abrir. Além da evidente irracionalidade e do enorme custo que minha paciente tinha que pagar para ter um companheiro noturno, a companhia lhe permitia sobreviver a um esquema de perda/abandono. Como chupar o dedo, ou o ursinho de pelúcia ou pedaço de pano rasgado e velho que servem de sinais de segurança para certas crianças, o contato humano com seu parceiro provocava nela a tranquilidade momentânea para poder dormir (conforto igual a prazer mais segurança). De maneira surpreendente, o abraço noturno tinha para ela intensidade positiva suficiente para contrabalançar e justificar tudo de ruim que havia na relação. Um pouquinho de bem-estar/proteção em troca de uma vida insuportável.

Essa acentuada desproporção só se pode explicar pelo desespero que induz o medo, ou a desesperança que gera depressão. A famosa frase shakespeariana "Meu reino por um cavalo" poderia parecer um péssimo negócio aos olhos de qualquer comerciante experiente, mas, se a contextualizarmos no fragor do campo de batalha, tendo ele ficado a pé e sem poder escapar, o negócio era mais que bom. De sua realidade distorcida e sua incapacidade percebida, minha paciente não via nenhuma alternativa, estava desolada e não era capaz de ser responsável por si mesma. Como vimos, a maioria das pessoas apegadas é emocionalmente imatura e muito carente de cuidados; por tal razão, o consolo do marido era a droga que fazia a solidão parar de doer. A mente é assim; enquanto o princípio do prazer e o princípio da segurança estiverem em jogo, mesmo em pequenas doses, a pessoa pode se apegar a qualquer coisa, em qualquer lugar e de qualquer maneira.

De acordo com a história pessoal afetiva, a educação recebida, os valores inculcados e as deficiências específicas, cada um escolhe sua fonte de apego, ou cada apego escolhe cada um. A lista que vou apresentar não é exaustiva, mas nela constam os tipos de apego afetivo mais comuns observados na prática clínica. Alguns são mediados por esquemas desadaptativos, e outros, por simples gosto ou prazer. Uma pessoa pode se apegar a um, a vários ou, se estiver especialmente inspirada, a todos. Os apegos do menu são os seguintes: apego à segurança/proteção, à estabilidade/confiabilidade, às manifestações de afeto, às manifestações de admiração e ao bem-estar/prazer de toda boa relação (por exemplo, sexo, carícias, tranquilidade e companheirismo).

1. A vulnerabilidade à dor e o apego à segurança/proteção

O esquema principal é a baixa autoeficácia: "Não sou capaz de cuidar de mim mesmo". Essas pessoas precisam de alguém mais forte, psicologicamente falando, que assuma a responsabilidade por elas. A ideia que as move é obter a quantidade necessária de segurança/proteção para enfrentar uma realidade percebida como ameaçadora demais.

Esse tipo de apego é dos mais resistentes, porque o sujeito o experimenta como se fosse uma questão de vida ou morte. Aqui não se busca amor, ternura ou sexo, e sim sobrevivência em estado puro. O que se persegue não é ativação prazerosa e euforia, e sim calma e sossego. A questão não é taquicardia, e sim bradicardia; repouso e alívio: "Estou a salvo".

A origem desse apego parece estar na superproteção parental durante a infância e na crença aprendida de que o mundo é perigoso e hostil. O resultado dessa funesta combinação ("Não sou capaz de ver por mim mesmo" e "O mundo é terrivelmente ameaçador") faz que a pessoa se perceba como indefesa, desamparada e solitária. O destino final é altamente previsível: não autonomia, não liberdade, e, claro, dependência.

Como eu disse anteriormente, a segurança obtida nem sempre é evidente. Os sinais de proteção podem ser muito sutis e aparentemente sem sentido, mas úteis e significativos para a pessoa. Não importa quão fria seja a relação, às vezes a simples presença do parceiro provoca a sensação de estar protegido. Estar com ele, dividir o mesmo espaço, respirar o mesmo ar, dormir na mesma cama, assistir à mesma televisão, cuidar dos mesmos filhos ou viver a mesma vida é suficiente para se sentir acompanhado, ou seja, "não sozinho". Não é necessário que o parceiro seja uma espécie de carateca quinto dan, ou um integrante do *Esquadrão classe A*; desde que esteja ali, visível e sob o mesmo teto, o dependente e sua necessidade ficam satisfeitos.

> *Déficit*: Baixa autoeficácia ("Não sou capaz de dar conta de mim mesmo").
> *Medo*: Do desamparo e da desproteção.
> *Apego*: À fonte de segurança interpessoal.

2. O medo do abandono e o apego à estabilidade/confiabilidade

Todos nós esperamos que nosso parceiro seja relativamente estável e inquestionavelmente fiel. De fato, a maioria das pessoas não suportaria uma relação flutuante e pouco confiável, e não só por princípios, mas também por saúde mental. Para onde quer que se olhe, uma relação incerta é insustentável e angustiante. Desejar uma vida a dois estável não implica apego; mas ficar obsessivo diante da possibilidade de uma ruptura, sim.

Quais são as coisas da relação às quais nos apegamos?

Em certos indivíduos, a busca de estabilidade está associada a um profundo medo do abandono e a uma hipersensibilidade à rejeição afetiva. A confiabilidade se transforma, para eles, em uma necessidade compulsiva para aliviar o medo antecipatório da carência. Não importa que a esposa não seja uma boa amante, seja péssima dona de casa, uma mãe regular ou pouco calorosa: "Mas ela é confiável, sei que jamais me abandonará". O marido pode ser frio, mulherengo, agressivo e um pai ruim, mas se for um homem "estável", constante, previsível e perseverante na relação, fica eximido de toda culpa: "Não importa o que faça, ele me dá a garantia de que sempre estará comigo". O determinante é que haja presença (obviamente, se houver um pouco de amor, melhor; mas não é uma condição imprescindível).

A história afetiva dessas pessoas é marcada por despeito, infidelidade, rejeição, perdas ou renúncias amorosas que não puderam ser processadas de maneira adequada. Independentemente de qualquer argumento, o primordial para o apego à estabilidade/confiabilidade é impedir outra deserção afetiva: "Prefiro um casamento ruim a uma boa separação". O problema não é de autoestima, e sim de suscetibilidade ao desprendimento. O objetivo é manter a união afetiva a qualquer custo e garantir que a história não se repita.

Déficit: Vulnerabilidade à ruptura afetiva ("Eu não suportaria que minha relação fracassasse").
Medo: Do abandono.
Apego: Aos sinais de confiabilidade/permanência.

3. A BAIXA AUTOESTIMA E O APEGO ÀS MANIFESTAÇÕES DE AFETO

Nesse tipo de apego, embora indiretamente também se busque a estabilidade, o objetivo principal não é evitar o abandono, e sim sentir-se amado. Inclusive, muitas pessoas são capazes de aceitar serenamente a separação se a causa não estiver relacionada ao desamor: "Prefiro uma separação com amor a uma relação sem afeto".

Não entanto, uma coisa é gostarmos de receber amor, e outra muito diferente é se apegar às manifestações de afeto. Ficar atento a quanto carinho recebemos para verificar quão amados somos é extenuante tanto para quem dá quanto para quem recebe.

Quando alguém não se ama, projeta isso e acha que ninguém poderá amá-lo. O amor sempre se reflete no que somos. O medo do desamor (carência afetiva) rapidamente se transforma em necessidade de ser amado. Quando alguém se aproxima afetivamente, pessoas com baixa autoestima se surpreendem e duvidam seriamente das intenções do pretendente. Como se dissessem: "Se reparou em mim, algo de errado deve ter". Paradoxalmente, a conquista pode não ser tão fácil, já que um novo medo desloca momentaneamente o anterior: o medo de sofrer. Desamor e desengano antecipado se misturam, criando a sensação de estar presas entre dois males possíveis. Nasce um novo conflito: *preciso do amor, mas tenho medo dele*. Apesar de tudo, se o pretendente for perseverante e bastante convincente na demonstração de suas boas intenções, dá-se a entrega.

A partir do exato momento em que se aceita a proposta e a relação se torna efetiva, o apego dispara em toda sua intensidade. Em um piscar de olhos, a dependência do novo amor fica configurada e estabelecida com força de lei: "Por fim alguém se dignou a me amar!". O que se segue é uma vida a dois na qual o carinho, a ternura e outras manifestações de afeto serão vistas pelo apegado como sinais de que o amor ainda está presente. Um termômetro para detectar "minha cotação". Se a expressão de afeto diminuir por qualquer razão banal, o indivíduo dependente poderá se dedicar desesperadamente a recuperar "o amor perdido", como se a relação estivesse a ponto de acabar. Se, pelo contrário, a troca afetiva for fluida e consistente, o dependente obterá seu consumo pessoal e a calma voltará.

Um dos indicadores equivocados de cotação afetiva mais utilizado pela pessoa apegada é o desejo sexual. A afirmação "Se sou desejável, posso ser amado" já fez mais de um se entregar ao melhor lance na busca por obter amor. A necessidade de amor pode se confundir com o aspecto sexual, mas não é a mesma coisa. Os homens são capazes de desejar sem sentir afeto, as mulheres são capazes de amar e não desejar o ser amado, e vice-versa em cada caso. O sexo não foi feito para taxar valores afetivos, e sim para consumi-los.

As pessoas com baixa autoestima, que se consideram pouco atraentes ou feias, podem se apegar muito facilmente a quem se sinta atraído por elas. Às vezes, esse apego funciona como um ato de gratidão: "Obrigado por seu mau gosto". Não obstante, apesar da terrível discriminação física que acontece no mundo civilizado, já vi casais de indivíduos muito pouco agraciados (pelo menos segundo o padrão tradicional de beleza), que se gostam e desfrutam-se mutuamente como um manjar dos deuses. Em certas ocasiões, compartilhar os complexos pode criar muito mais dependência que compartilhar virtudes; pelo menos no primeiro caso, não há lugar para competição.

Déficit: Baixa autoestima ("Não posso ser amado").
Medo: Do desamor (carência afetiva).
Apego: Às manifestações de afeto/desejo.

4. Os problemas de autoconceito e o apego à admiração

O autoconceito se refere ao nível de aceitação de mim mesmo. É o que penso de mim. Em um extremo, estão os narcisistas crônicos (complexo de Deus), e, no outro, os que vivem decepcionados consigo mesmos (complexo de barata).

Diferentemente do que ocorre com a baixa autoestima, aqui a carência não é de amor, e sim de reconhecimento e adulação. Essas pessoas não se sentem admiráveis e intrinsecamente valiosas; por tal razão, quando alguém lhes demonstra admiração e um pouco de fascinação, o apego não tarda a chegar. Inclusive, uma das causas mais comuns de infidelidade se encontra na conexão que se estabelece entre admirador e admirado. Exaltar o ego de uma pessoa que se sente pouca coisa, e que além do mais teve um parceiro descuidado nesse aspecto, pode ser o melhor afrodisíaco. Encantar-se com certas virtudes, elogiar qualidades, aplaudir, dar crédito e admirar-se diante de alguma habilidade não apreciada pelo entorno imediato é abrir caminho para o romance. A admiração é a antessala do amor.

O baixo autoconceito cria uma forte sensibilidade ao elogio. Tanto que pode se tornar a principal causa de uma relação afetiva. Uma mulher me disse o seguinte: "Eu sei que ele não é o marido ideal... É mal-humorado, não é um bom amante e às vezes é preguiçoso... Minha família não gosta muito dele e minhas amigas dizem que eu não deveria estar com ele... Mas ele me admira e reconhece em mim uma pessoa valiosa e especial... Inclusive, chegou a me dizer que não me merece... Ponha-se em meu lugar... Em toda minha vida, ninguém se maravilhou comigo, ninguém me admirou... Pode ser que ele não seja um grande executivo, nem o melhor partido, mas se sente satisfeito e quase honrado de estar ao meu lado... Isso para mim é suficiente, o resto não me importa". A dose certa e na medida justa. Impossível erradicar.

Déficit: Baixo autoconceito ("Não sou valioso").
Medo: Da desaprovação/do desprezo.
Apego: À admiração/ao reconhecimento.

5. O APEGO "NORMAL" AO BEM-ESTAR/PRAZER DE TODA BOA RELAÇÃO

Embora, por definição, todo apego seja contraproducente (com exceção do famoso *attachment*), certas formas de dependência são vistas como "normais" pela cultura, e inclusive pela psicologia. Essa avaliação benevolente e complacente tem duas vertentes. A primeira argumenta que a existência dessas dependências "inocentes" ajuda na convivência, o que é bem-visto pela estrutura social-religiosa tradicional. A segunda posição defende que muitos desses estimulantes afetivos não parecem se relacionar com esquemas impróprios, e sim com o simples prazer de consumi-los. De qualquer maneira, sua frequente utilização e a incapacidade de renunciar a eles os transformam em potencialmente tóxicos.

Os reforçadores obtidos em uma boa relação variam segundo as predileções do consumidor; no entanto, a experiência prova que algumas formas de bem-estar interpessoal são especialmente suscetíveis a gerar apego. Indicarei quatro delas: *sexo, carinho/contemplação, companheirismo/afinidade e tranquilidade.*

Como é sabido, o *apego sexual* move montanhas, derruba tronos, questiona vocações, quebra empresas, destrói casamentos, sataniza santos, enaltece beatos, humaniza frígidas e compete com o mais valente dos faquires. Encantador, fascinante e enlouquecedor para alguns; angustiante, preocupante e sofrido para outros.

Quando a dependência sexual é mútua, tudo corre às mil maravilhas. A relação se torna quase indissolúvel. Mas, quando o apego é unilateral e não correspondido, aquele que mais precisa do outro acaba mal ou é infiel. Os casais cujo afã sexual coincide não precisam de terapeutas nem de conselheiros, e sim de uma boa cama (resolvem tudo entre os lençóis). Dois dependentes do erotismo que vivem juntos, alimentando o apetite a todo momento, jamais se saciam. Ao contrário, cada vez precisam mais um do outro e a droga tem que ser maior para produzir o mesmo efeito. Nenhum dependente químico se cura por saciedade.

Se alguma vítima desse apego decidir acabar corajosa e inquebrantavelmente com a paixão que a embarga, as recomendações excedem a ortodoxia terapêutica: rezar muito, entregar-se ao anjo da guarda ou ir morar no Alasca, o mais longe possível do obscuro objeto do desejo.

O apego ao *carinho/contemplação* pode estar livre de todo apego sexual e de qualquer esquema deficitário. Nesses casos, o simples prazer do contato físico, ou o *contemplis*, em geral é o que manda. Seja por causas herdadas ou aprendidas, a hipersensibilidade aos afagos aciona uma avalanche prazerosa e esmagadora, impossível de deter, que se irradia até os lugares mais recônditos de nosso organismo. Não é de se estranhar que as pessoas carinhosas sejam facilmente capturadas por beijos, abraços, sorrisos e outras manifestações de afeto. Uma mulher não muito bem acompanhada defendia seu apego assim: "Eu sei que ele tem mil defeitos, mas me acaricia de um jeito tão gostoso!". Conheci um jovem executivo, vítima do estresse, que conseguia se acalmar totalmente quando sua esposa coçava sua cabeça.

Ao contrário do já expresso, para as pessoas inibidas, tímidas, inseguras, introvertidas e emocionalmente constipadas, a expressão de afeto pode ser a coisa mais aversiva. Existem infinitas maneiras de agradar a quem amamos, mas é preciso que haja um receptor disponível. Quando o doador de amor encontra um terreno propício para que a contemplação prospere, não há nada mais estimulante que mimar a pessoa amada.

O apego ao *companheirismo/afinidade* é muito mais forte do que se poderia acreditar. Já vi casais extremamente apegados cujo único e principal elo é a congruência de gostos e inclinações. E, embora sexual e afetivamente não estejam tão bem, o coleguismo e a boa companhia os mantêm intimamente entrelaçados. Não é fácil ser companheiro, confidente e cúmplice do parceiro, mas quando essa conexão ocorre, a união adquire uma solidez substancial.

Quando um casal apegado pela camaradagem tenta se separar, a tentativa não costuma prosperar, porque encontrar um substituto afim é extremamente difícil. Como se fosse um carma, cada nova tentativa faz a pessoa recordar como ainda é próxima de seu "ex". A urgência de voltar para casa desespera e não dá espera. Em questão de dias ou semanas, o idílio se restabelece, e as coincidências que os mantinham unidos tornam a se ativar com mais força que nunca.

A cumplicidade das causas comuns, como os bons vinhos, requer tempo de envelhecimento; mas, se nos excedermos no processamento, vira vinagre. Se o companheirismo fica exagerado, o amor adquire um aroma de fraternidade quase incestuosa. Os indivíduos apegados ao companheirismo estão dispostos a sacrificar o prazer de sentir amor para não perder as vantagens de viver com o melhor amigo.

O apego à *convivência tranquila e em paz* é dos mais apetecedores, especialmente depois dos 40 anos. Há uma época na vida em que estamos dispostos a trocar paixão por tranquilidade. Muitos pacientes meus preferem a calma doméstica às simpáticas e divertidas emoções fortes. Enquanto algumas pessoas não toleram discussões e brigas, outras são fascinadas por viver em estado de beligerância. Assim como o bom clima afetivo é um requisito imprescindível para que o amor prospere, a convivência estressante destrói qualquer relação. Mas, se obter a tão apreciada tranquilidade implica renunciar aos demais prazeres e alegrias que o amor saudável pode me oferecer, eu pensaria seriamente em reavaliar meu conceito de paz.

PARTE 2

Prevenindo o apego afetivo

Como promover a independência afetiva e continuar amando mesmo assim

Os invisíveis átomos do ar ao redor palpitam e se inflamam; o céu se desfaz em raios de ouro; a terra estremece alvoroçada; ouço flutuando em ondas de harmonia o rumor de beijos e o bater de asas; minhas pálpebras se fecham... O que está acontecendo? É o amor que passa!
Gustavo Adolfo Bécquer

O amor – conforme o entende o mundo – não é amor, é um egoísmo exaltado: é amar-se um no outro.
Stendhal

É possível prevenir o apego. Sob determinadas circunstâncias, podemos criar imunidade às dependências afetivas e nos relacionarmos de uma maneira mais tranquila e descomplicada. Sempre podemos estar melhor afetivamente. Se sua relação está bem constituída, você ainda pode fortalecê-la mais; e se tem deficiências não muito graves, pode melhorá-la. O melhoramento afetivo é um processo contínuo do qual não podemos descuidar.

Os três princípios apresentados a seguir permitem desenvolver uma atitude antiapego, ou seja, um estilo de vida voltado a fomentar a independência psicológica sem deixar de amar. Infelizmente, nossa cultura não ensina isso de uma maneira programada e coerente porque, paradoxalmente, a liberdade é um dos valores mais restringidos.

O primeiro princípio é o da *exploração*, ou a arte de não pôr todos os ovos na mesma cesta; o segundo é o da *autonomia*, ou a arte de ser autossuficiente sem ser narcisista; e o terceiro é o princípio do *sentido de vida*, ou a arte de se afastar do mundano. A aplicação de cada um deles fará estremecer os esquemas responsáveis pela dependência afetiva, mas se a aplicação for conjunta, o impacto psicológico será ótimo. Uma pessoa audaz, livre e realizada é um ser que ganhou a batalha contra os apegos.

A imunidade à dependência afetiva só pode ser alcançada quando todos os nossos papéis estiverem devidamente equilibrados. Somos muito mais que marido/esposa ou namorado/namorada. Se vivo exclusivamente para meu companheiro, se reduzo todas as minhas opções de alegria e felicidade à relação, destruo minhas possibilidades em outras áreas, que também são importantes para meu crescimento interior. Quando se chega à maturidade afetiva, o ato de amar não é cativante a ponto de nos anularmos nem distante a ponto de esfriarmos. Chega-se a um ponto médio, o lugar equidistante onde o amor existe e deixa viver.

O princípio da exploração e o risco responsável

Uma das coisas que mais interfere no processo de desapego é o medo do desconhecido. A pessoa apegada, devido a sua imaturidade emocional, não costuma se arriscar, porque o risco incomoda. Ela jamais poria em perigo sua fonte de prazer e segurança. Prefere funcionar com a velha premissa dos que têm medo de mudanças: "Mais vale o ruim conhecido que o bom desconhecido". Enfrentar o novo sempre assusta.

A ancoragem no passado é a pedra angular de todo apego. Apegar-se à tradição gera a sensação de estar seguro. Tudo é previsível, estável; sabemos aonde vamos. Não há inovações nem surpresas desagradáveis. Resgatar as raízes e entender de onde viemos é fundamental para qualquer ser humano, mas fazer do costume uma virtude é inaceitável.

Muitos casais entram em uma espécie de canibalismo mútuo, em que um devora o outro até desaparecerem. Absorvem-se como duas esponjas interconectadas. Cada um se vê pelos olhos de sua cara-metade. Uma paciente minha havia acabado de sair de um namoro de oito anos. O namorado decidira terminar porque estava cansado e queria ter novas experiências. Depois de tantos anos, a pessoa não sabe o que é pior, se terminar ou casar. Os namoros tipo Matusalém não costumam ter um bom prognóstico. Enfim, decidiram ficar um tempo separados. O verdadeiro problema surgiu quando a jovem teve que enfrentar o desafio de viver sem ele. Eles estavam juntos desde o início da adolescência, e a vida dela havia girado em torno dele. Durante oito anos, ela não fizera nada mais que estar ao lado dele como um fiel escudeiro, ao pé do canhão. Quase não tinha amigas, nem grupos de referência, nem vocação, nem inquietudes, nada. Só um trabalho rotineiro de que nem gostava muito. Quando chegou a meu consultório, ela estava perplexa, como se houvesse acabado de nascer. O namorado havia lhe fornecido o necessário para sobreviver afetivamente até o momento, e agora ela tinha que começar do zero. Seus gostos eram os dele, seus amigos também e seus hobbies eram emprestados. Uma tela de cinema em branco. Pela primeira vez, ela tinha que olhar para si mesma, questionar-se e ver o que o mundo lhe oferecia. Ela demorou mais de um ano para adquirir o espírito de exploração natural que a maioria das pessoas tem. O namorado nunca mais voltou, mas ela foi capaz de cultivar suas inquietudes e olhar mais além do evidente. Certas relações atrofiam a capacidade de sentir e adormecem a alma.

Quem disse que para estabelecer uma relação afetiva a pessoa deve se encarcerar? De onde surgiu essa ridícula ideia de que o amor implica estancamento? Por que algumas pessoas, ao se apaixonar, perdem seus interesses de vida? O amor tem que ser castrador? Realmente o vínculo afetivo requer esses sacrifícios? Os preceitos sociais fizeram desastres. Amar não é se anular, e sim crescer a dois. Um crescimento no qual as individualidades, longe de se ofuscar, destacam-se. Amar alguém não significa perder a sensibilidade e se tornar uma toupeira sem mais interesses que o mundano. Um paciente meu havia "proibido" sua esposa de fazer uma especialização universitária, porque, segundo ele, "mulheres casadas devem ficar em casa com os filhos". O triste não era tanto a exigência absurda dele, e sim a aceitação voluntária dela: "Devo isso a meus filhos". Quando questionei sua afirmação, ela respondeu que quando a mãe é totalmente disponível, as crianças são mais bem-educadas. Tornei a expressar minha discordância: "Segundo esse critério, a maioria dos filhos de mulheres que trabalham seria mal-educada, e não é assim. Conheço mães de tempo integral com filhos totalmente descarrilados... Sem pensar nos extremos, acho que uma mãe semipresencial é uma boa opção educacional". Durante algumas consultas conversamos sobre a possibilidade de ela continuar estudando sem deixar de ser mãe, mas logo o marido acrescentou uma nova proibição a sua lista: chega de psicólogo.

O princípio da exploração responsável (por "responsável" entendo fazer o que nos der na telha, desde que não seja prejudicial nem para nós nem para outros) postula que os seres humanos têm a tendência inata a indagar e explorar o meio. Somos descobridores natos, indiscretos por natureza. Quando exploramos o mundo com a curiosidade de um gato, todos os nossos sentidos se ativam e se entrelaçam para configurar um esquema vivencial. É então que descobrimos que o prazer não está localizado em um ponto só, e sim disperso e acessível. E não estou insinuando que se deve substituir o parceiro ou enganá-lo. A pessoa que amamos é uma parte importante de nossa vida, mas não a única. Se perdermos a capacidade de perscrutar, fuçar e surpreender-nos com outras coisas, ficaremos presos na rotina. Ninguém tem o monopólio do bem-estar. Krishnamurti dizia: "Quando se adora só um rio, negam-se todos os outros; quando você adora uma só árvore ou um só deus, nega todas as árvores, todos os deuses".

Você pode amar profunda e respeitosamente seu companheiro e, ao mesmo tempo, curtir uma tarde de sol, tomar sorvete, passear, ir ao cinema, pesquisar sobre seu assunto preferido, participar de conferências e viajar; enfim, você pode continuar sendo um ser humano completo e normal. Vincular-se afetivamente não é se enterrar em vida, nem reduzir seu hedonismo a uma ou duas horas por dia. Não falo de excluir egoisticamente o outro, e sim de completá-lo. Refiro-me a dispersar o prazer sem deixar de amar a pessoa que você ama e sem perder-se. Hermann Hesse afirmava: "Ele havia amado e encontrado a si mesmo. A maioria, porém, ama para se perder".

Alguns indivíduos sentem ciúmes por seu parceiro curtir coisas sem que eles estejam presentes. Ridículo. Por exemplo, para os típicos homens machistas, é inconcebível que a esposa ou namorada tenha outras fontes de prazer que não eles. Eles lhes permitem algumas atividades secundárias, mas desde que não excedam um certo limite. E quando veem que a mulher encontrou uma veia vocacional que possa se transformar em paixão, assustam-se: "Eu tenho que ser o centro de sua vida" ou, o que dá no mesmo: "Preciso diminuir a sensibilidade dela para que não se afaste de mim". Amputar a criatividade da pessoa que se "ama" é a estratégia preferida dos inseguros.

Se seu parceiro é pouco criativo, procure envolvê-lo em suas atividades; não em todas, mas em algumas. Se ele for rígido, conservador, inseguro, controlado ou parado, sacuda-o. Escandalize-o no bom sentido. Faça-o pular no compasso de uma vida mais inquietante: despenteie-o em público, faça-lhe cócegas na missa, impressione-o com um striptease malfeito ou convide-o a sua própria festa surpresa. Ria e encha-o de amor; pelo menos, assim, você saberá que ele não é de plástico. Mas, se apesar de tudo ele continuar imóvel e imutável, não se detenha. Continue explorando, descobrindo e "fuçando" por sua conta. É possível que, se ele vir você independente e feliz, trema nas bases e mude de ideia. Existem terremotos produtivos. E, se nada disso acontecer, pergunte-se se realmente está com a pessoa certa.

POR QUE ESSE PRINCÍPIO GERA IMUNIDADE AO APEGO AFETIVO?

Porque a *exploração* gera esquemas antiapego e promove maneiras mais saudáveis de se relacionar afetivamente, em pelo menos quatro áreas básicas:

a) As pessoas atrevidas e que correm riscos geram mais tolerância à dor e à frustração; ou seja, ataca-se o esquema de imaturidade emocional.
b) Uma atitude voltada para a audácia e o experimentalismo responsável assegura a descoberta de novas fontes de distração, prazer, interesse e diversão. O prazer se dispersa, é regado e desapare-

ce a tendência a concentrar tudo em um só ponto (por exemplo, o companheiro). O entorno motivacional cresce e se amplia consideravelmente.

c) Explorar faz que a mente se abra, que se flexibilize e que diminua a resistência à mudança. O medo do desconhecido vai sendo substituído pela ansiedade simpática da surpresa, da novidade e do assombro. Um medo agradável que não nos impede de tomar decisões.

d) Perde-se o culto à autoridade, o que não implica anarquismo. Simplesmente, ao ser curioso diante da natureza, das ciências, da religião, da filosofia e da vida, aprende-se que ninguém tem a última palavra. Já não se acredita mais cegamente e submeter-se não é tão fácil. Surge um ceticismo saudável e o interessante costume de se perguntar por quê.

Algumas sugestões práticas

1. Brincadeira e espontaneidade

Os adultos perdem a magia da brincadeira e se fecham em uma concha. Racionalizamos tanto que nos constipamos. D'Annunzio, o grande escritor italiano, dizia: "Quem falou que a vida é um sonho? A vida é uma brincadeira".

- *Comece com alguma travessura que não seja perigosa.* Entre em uma biblioteca, e no meio do mais sisudo silêncio, espirre com a força de um furacão. Ou grite a plenos pulmões diante de um suposto rato imaginário que ninguém além de você viu. Não se esqueça de registrar e guardar na memória (se fotografar, melhor) a cara da bibliotecária. Se um dia quiser recordar sua juventude desrespeitosa, saia tocando campainhas e esconda-se. Quando a pessoa aparecer, apareça também. Com cara de adulto sério, pergunte: "Que foi?", e depois acrescente: "Essas crianças, meu Deus... Vamos ter que dar um jeito nelas!". O crime perfeito. Pense: quem poderia imaginar que a doutora ou o doutor saiu sorrateiramente por aí tocando campainhas?
- *Lembre-se do método do absurdo.* Ionesco, o pai do teatro do absurdo, dizia: "Peguem um círculo, acariciem-no, ele se tornará vicioso!". O inaudito tem lá seu encanto. O absurdo gera formigamento, frio na barriga e um risinho nervoso encantador. Sente-se no horário de pico em um shopping movimentado e comece, como quem não quer nada, a latir

respeitosamente para as pessoas que passarem. Você pode ensaiar vários tipos de latido: aristocrático, colérico, mal-humorado ou histérico. Outra variação é mostrar os dentes e grunhir de maneira intermitente. Você vai se surpreender com a reação das pessoas. Algumas ficarão petrificadas, outras se ofenderão diante de seus inofensivos "au, au" (essas são as mais amarguradas); um grupo seleto responderá a seus latidos (até é possível que se inicie um diálogo canino), e não faltarão os agressivos (humanos que mordem). Nesse último caso, recomendo que você saia correndo, e se for ganindo como um cachorrinho, melhor.

- *Não se preocupe com o que as pessoas vão dizer nem com a adequação social.* O pior obstáculo para a espontaneidade é ficar preso à normatividade e à opinião dos linguarudos. Não estou dizendo que você deve ofender os outros, mas que de vez em quando é bom mandar o superego dormir. As melhores coisas da vida ocorrem sob os efeitos da emotividade e do desejo. Se lhe der vontade de abraçar seu melhor inimigo ou dar um beijo na careca do decano de sua faculdade, faça isso (se o fizer com carinho, é provável que não perca o emprego). Se quiser exclamar aos quatro ventos que está apaixonado, recomendo que se sente no parque principal de sua cidade, faça um cartaz com sua poesia favorita, convide os meios de comunicação e diga ao país inteiro que a ama descaradamente. Não tenha medo da rejeição, vai acontecer de qualquer maneira. Já notou que algumas pessoas, quando riem, parece que estão chorando? Por todos os meios, tentam esconder e disfarçar a gargalhada, como se fosse um arroto. Tudo bem seguir as normas racionais, mas ser escravo de todas elas indiscriminadamente é asfixiante. Pense nas bruxas de Salém. Eu sei que, no fundo, quando você vê uma plaquinha dizendo "Proibido pisar na grama", um diabinho o obriga a pôr o pé. Eu sei que quando ninguém está olhando, você flerta descaradamente com o atraente e insinuante trecho de grama. Repito: se não for prejudicial para você nem para ninguém, você pode fazer o que quiser. Inclusive, ser feliz.

2. Mergulho no intelectual

A cortesia não anula a valentia. Brincar na área intelectual é investigar. Fuçar nas conquistas da mente pode ser apaixonante. A cada dia vemos mais divulgação científica. Temas que antes eram só para eruditos na matéria hoje estão disponíveis para qualquer leitor inquieto. Xeretar na natureza é apaixonante de verdade. Não é necessário ter um laboratório nem usar jaleco branco, e sim aventurar-se em busca de informação. Acostume-se a entrar de vez em quando em uma livraria e olhar as prateleiras; você encontrará algo que chame sua atenção. Quando aprender a espiar na ciência, não precisará comprar ecstasy ou maconha. O cosmo e as profundezas marinhas serão mais que suficientes. Se você é dessas pessoas que se sentem intimidadas pelos livros e dormem nas palestras, precisa despertar. Não esqueça que o cérebro funciona como um músculo: se não for trabalhado, atrofia. O que você pode perder tentando? Um bom explorador da vida não se acanha: tudo é apetecível.

3. Incursão na arte

Algo parecido acontece com as artes. Quanto tempo faz que você não se senta em um parque para ler poemas? A poesia não é para homens de barba e sandálias, ou para declamadores de rimas prosaicas e deprimentes. A literatura é para qualquer pessoa que seja sensível à palavra. Não ouça os especialistas em arte, são artistas frustrados. Você não tem que ser um especialista, saber datas, linguística avançada ou participar de cinco oficinas de escritores. Simplesmente precisa ler, sentir e curtir. Para deixar que as letras entrem em sua alma, você tem que mandar metade do cérebro para outro lugar e acreditar cegamente. Debussy dizia: "A arte é a mais bela das mentiras".

Há quanto tempo você não vê uma peça de teatro, um concerto ou um filme para sombrios intelectuais? Aproximar-se da arte é o melhor começo para criar uma atitude antiapego. Muitos pacientes meus encontraram uma veia artística que jamais imaginaram ter. Nunca pensou em tocar um instrumento? Vai esperar até a velhice para decidir? Queria ser bailarina? Comece! Vá para a aula com a tranquilidade de quem já não quer ser a melhor (você nunca será a estrela de *O lago dos cisnes*) e você verá como vai curtir.

Se seu parceiro é uma dessas pessoas fechadas, obsessivas e com a sensibilidade de um paquiderme, é melhor não o convidar. Você não precisa de companhia para se encantar com uma bela pintura, uma escultura imponente ou o lamento de um saxofone ao entardecer. Certos prazeres não foram feitos para compartilhar.

4. Ensaios de comportamento

Quando, na juventude, eu estudava teatro, uma das técnicas que mais me fascinava era representar na vida diária o papel do personagem que ia interpretar. Eu e meus colegas costumávamos assumir o papel durante semanas, e se conseguíssemos sobreviver à experiência, a encenação saía magistral. Lembro que, em certa ocasião, tínhamos que fazer o papel de jornalistas franceses. Durante vários dias, usamos cachecóis listrados e boinas, assassinamos um francês com sotaque e sem significado e andamos como cabeleireiros. Ensaiar comportamentos que parecem estranhos à nossa maneira de ser fornece informações valiosas sobre como somos realmente. É uma maneira de explorar nosso interior e, de quebra, divertirmo-nos. Ensaios podem ser feitos em praticamente qualquer área. Tente provar comidas novas e cozinhar (você vai descobrir que cozinhar é uma forma de alquimia). Não importa quanta sujeira faça ou quanta coisa quebre; suas gororobas terão sabor de glória.

Mude sua aparência e veja o que acontece. Renove seu guarda-roupa e jogue fora essas velharias que ainda guarda. Teste penteados novos, tinturas de cabelo, depilações, cortes, cores audazes, ou ponha uma fantasia de Drácula. Se for introvertido, vista-se na última moda, tome um tranquilizante e exiba-se.

De sexo, nem preciso falar. Se seu parceiro for dessas pessoas previsíveis, insensíveis e pouco apetecíveis, tempere-o. Convide-o a se transformar em uma luxúria amorosa ambulante com você. Experimente posições apócrifas e desconhecidas até para o *Kama Sutra*. Despoje-se do pudor e ame-o desavergonhadamente. Pendure-se do lustre (assegure-se primeiro de que esteja bem firme), uive como Tarzan, encha de ar as camisinhas e jogue voleibol com elas. Sexo sem criatividade é animal demais.

5. Viagens e geografia

Não sei se já aconteceu com você de, ao assistir ao Discovery, National Geographic ou Animal Planet, começar a sentir certa inveja dos produtores dos programas. Somos viajantes do tempo e do mundo. Para passear, não é preciso ser um Jacques Cousteau com lancha e patrocínios milionários; basta ter espírito de aventura, alma de conquistador. Vontade de sair e se arriscar a conhecer. Você pode ir aonde quer que seu orçamento permita. Pode acampar de má vontade, lutar com os mosquitos insuportáveis, ingerir alimentos enlatados meio podres, molhar-se à noite, suportar uma invasão de aranhas e, apesar de tudo, estar contente. Ninguém recorda experiências recatadas e prudentes do passado. A memória sempre gira ao redor das loucuras que já fizemos e das mancadas que já demos. Você pode vagar de uma cidade a outra, ir a uma praia distante ou ao Velho Continente, mas não fique parado e fossilizado. Certas pessoas sempre fazem o mesmo passeio, com as mesmas pessoas e na mesma época. São viagens planejadas, previsíveis, esterilizadas, controladas e, obviamente, chatas. Aproximar-se indiscretamente de culturas e costumes diferentes fará de você um cidadão do mundo.

6. Conhecer gente

A desconfiança é o pior mal social. Já vi pessoas tão eremitas que não suportam a si mesmas. Conhecer gente nova é outra maneira de explorar. Se você tem um companheiro com "isolacionice" e surtos esquizoides, tem graves problemas. Uma velhice sem amigos é uma velhice triste e enrugada. Todas as pessoas, sem distinção de raça, sexo ou religião, têm algo importante a dizer e a ensinar.

Como você pode ver, o princípio da exploração exalta sua juventude e sua vontade de viver. Um indivíduo ativo e disposto a vencer a rotina não criará dependência e apegos tão facilmente. Será capaz de amar, mas não resistirá às amarras. Nas palavras de Thomas Mann: "Ser jovem é ser espontâneo, estar perto da fonte da vida, erguer-se e se livrar das correntes de uma civilização caduca, ousar o que outros não tiveram coragem de empreender; em suma, mergulhar de novo no primordial".

O princípio da autonomia, ou ser responsável por si mesmo

Tal como afirmaram psicólogos, filósofos e pensadores de todas as épocas, a liberdade e o medo andam de mãos dadas. Salústio dizia: "São poucos os que querem a liberdade; a maioria só quer ter um amo justo". Mas quando as pessoas decidem se tornar donas de sua vida e de suas decisões, o crescimento pessoal não tem limites.

A busca por autonomia é uma tendência natural em indivíduos saudáveis. E quando a liberdade é restringida, os seres humanos normais nunca se dão por vencidos. De Espártaco até Mandela, a história da humanidade poderia se resumir a uma luta constante e persistente para obter a ansiada independência, qualquer que seja ela. Em psicologia, ficou provado que as pessoas autônomas que assumem a responsabilidade por si mesmas desenvolvem um sistema imunológico altamente resistente a todo tipo de doenças.

Os mestres espirituais de várias partes do mundo concordam em dizer que quanto menos necessidades criadas tenha uma pessoa, mais livre será. Conta-se que, em certa ocasião, Sócrates entrou em uma loja de artigos diversos. Depois de passar um bom tempo observando detalhadamente cada artigo, saiu de lá claramente espantado. Quando lhe perguntaram o motivo de sua surpresa, respondeu: "Estou fascinado: quantas coisas de que não preciso!".

Infelizmente, aqueles que sofrem de apego afetivo são os que mais bloqueiam a autonomia, porque suas necessidades são fortes demais. A dependência de outro ser humano é a mais difícil de erradicar, especialmente quando a motivação de fundo é a necessidade de segurança/proteção ("Antes mal acompanhado do que só"). Enquanto o princípio da exploração facilita a obtenção de reforçadores e a perda do medo do desconhecido, o princípio da autonomia permite adquirir confiança em si mesmo e perder o medo da solidão.

Um estilo de vida voltado para a liberdade pessoal gera ao menos três atributos psicoafetivos importantes: a defesa da territorialidade, uma melhor utilização da solidão e um aumento da autossuficiência. Vejamos cada um detalhadamente.

A DEFESA DA TERRITORIALIDADE E A SOBERANIA AFETIVA

A territorialidade é o espaço de reserva pessoal; quando alguém o ultrapassa, eu me sinto mal, incomodado ou ameaçado. É a soberania psicológica individual: meu espaço, minhas coisas, meus amigos, minhas saídas, meus pensamentos, minha vocação, meus sonhos; enfim, tudo que seja "meu", o que não necessariamente exclui o "seu". Suas rosas, minhas rosas e nossas rosas. Uma territorialidade exagerada leva à paranoia e, se for minúscula, à falta de assertividade. O equilíbrio adequado é aquele em que as demandas do parceiro e as necessidades próprias se acoplam respeitosamente.

Embora já tenhamos nos referido, em parte, a esse ponto, é importante ressaltar que, sem territorialidade, não pode existir uma boa relação. Casais 100% sobrepostos, além de disfuncionais, são superficiais e chatos. Ambos se conhecem tanto e comunicam tantas coisas que o repertório acaba. Perde-se o encanto do inesperado. Uma coisa é entregar o coração, e outra é entregar o cérebro.

Nossa educação exalta o valor de uma relação fechada e sem segredos, como dizia E. E. Cummings: "Um não é metade de dois; dois são as metades de um". Siameses até que a morte os separe. Muitos não gostam que seu parceiro não lhes conte tudo, porque consideram isso falta de lealdade (obviamente, não estou defendendo o mutismo eletivo). Mas transparência total não existe. Mais ainda, às vezes é melhor não perguntar, e outras, não contar. Lembro o caso de uma mulher que, como não estava muito bem afetivamente com seu marido, começou a se sentir atraída pelo melhor amigo dele. Nunca havia acontecido nada entre eles, mas, certa noite de farra, com alguns drinques a mais, ele se atreveu a beijá-la, e ela não o rejeitou. Um tempo depois, estando em um encontro de casais, em um arroubo de sinceridade a mulher não apenas comentou a atração que sentia pelo dito-cujo – que, entre outras coisas, diminuía a cada dia – como também falou do beijo furtivo que o deixara roubar. Ela se sentiu leve, tranquila e em paz consigo mesma, com Deus e com a humanidade; ele ficou deprimido, indignado e enciumado. Foram necessárias várias consultas de terapia, uma separação transitória e quase um ano de recriminações para recomeçarem. Porém, algo se quebrou. Ainda hoje, depois de cinco anos, quando a obsessão ataca, o marido exige mais detalhes daquele beijo. A pergunta é evidente: valeu a pena falar sobre o deslize? Ela não poderia ter encontrado uma solução menos "sincera" e dramática? A maioria dos homens nunca esquece as travessuras de sua mulher.

Prevenindo o apego afetivo

Em outro exemplo, uma mulher que vendia cosméticos para ajudar nas despesas da casa havia decidido abrir sua própria poupança. Por recomendação de sua mãe, e devido a seu marido ser bastante avarento, ela começou a poupar, escondida, 10% do que ganhava para bancar seus gastos. Ela contribuía com 90% e ficava com 10%. Seguindo o conselho de um sacerdote, e para evitar viver em pecado, ela confessou ao marido o "empréstimo" que andava fazendo sem a autorização dele. Teria sido melhor ir para o inferno. As medidas repressivas de seu marido foram impressionantes, desde o confisco ativo dos privilégios até o escárnio público. Fez algum sentido contar sobre sua poupança secreta? Em outro caso, um homem cometeu o erro de confessar à sua esposa que ainda gostava de uma ex-namorada, casada e com filhos, que trabalhava na mesma empresa que ele. O homem não teve sossego até largar o emprego. Uma jovem prestes a se casar confessou ao noivo, com quem mantinha relações sexuais frequentes, que ele não havia sido o primeiro. O casamento foi por água abaixo.

A ideia não é fazer coisas escondido, fomentar a libertinagem e eliminar qualquer rastro de honradez, e sim estabelecer os limites da própria privacidade. E isso não é desamor, é inteligência afetiva. A independência (territorialidade) continua sendo a melhor opção para que uma relação perdure e não se consuma. Mas as pessoas apegadas têm horror ao livre-arbítrio e adoram ceder espaços: *sem autonomia não há amor, só dependência complacente.*

O RESGATE DA SOLIDÃO

Sempre houve posições contraditórias sobre a solidão. Os filósofos e mestres espirituais sempre a defenderam com unhas e dentes, como uma oportunidade de fomentar o autoconhecimento. Por exemplo, Cícero dizia: "Nunca estou menos só que quando estou só". Por sua vez, os poetas e apaixonados fazem apologia ao apego afetivo, e dizem que não há nada melhor que estar acorrentado a um coração. Nas palavras de Antonio Machado:

Prestem atenção:
um coração solitário
não é um coração.

O grande poeta espanhol provavelmente não teria passado em um teste de dependência nem teria recomendado este livro.

Para a psicologia clínica, a solidão tem uma faceta boa e uma ruim. Quando é resultado da escolha voluntária, é saudável e ajuda a limpar a mente. Mas, quando é obrigatória, pode aniquilar qualquer vestígio resgatável de humanidade. A solidão imposta é desolação, a escolhida é libertação.

É diferente estar socialmente isolado e estar afetivamente isolado. Das duas, a segunda, ou seja, a carência afetiva, é a que mais dói. Ela abre buracos na alma e nos despoja de motivação. Embora ambas as formas de isolamento gerem depressão, a solidão do desamor é a mãe de todo apego.

O princípio da autonomia leva, irremediavelmente, ao tema da solidão. De alguma maneira, estar livre é estar só. A pessoa que assume a responsabilidade por si mesma não requer babás nem guardiães porque não tem medo da solidão, e sim a busca. Porém, para um dependente afetivo, o pior castigo é o afastamento. Como um monstro de mil cabeças, o desterro físico, psicológico ou afetivo vai se acoplando ao déficit da vítima. Por exemplo, para quem sofre de vulnerabilidade à dor, a solidão é desamparo; para quem precisa de estabilidade, é abandono; para quem carece de autoestima, é desamor.

Sem que seja necessário chegar a ser um eremita, a solidão traz várias vantagens. Do ponto de vista *psicológico-cognitivo* (mental), favorece a auto-observação e é uma oportunidade para conhecer a si mesmo. É no silêncio que entramos em contato com o que somos de verdade. Do ponto de vista *psicológico-emocional*, possibilita que aumente a eficácia dos métodos de relaxamento e meditação. Quando não precisamos estar atentos aos demais, o organismo se sente mais seguro e concentrado: não há necessidade de aprovação, nem concorrência, nem críticas. Do ponto de vista *psicológico-comportamental*, a solidão nos induz a abrir mão do controle, a enfrentar o imponderável e a nos lançarmos no mundo. Não é imprescindível ter companhia afetiva para ser socialmente ativo.

Abraçar a solidão não significa não se comunicar e se isolar do parceiro. A solidão de cada um pode se interconectar com a do outro. Entre duas pessoas que se amam, o silêncio fala até pelos cotovelos. Sua parceira pode estar lendo enquanto você cuida do jardim ou vice-versa. Cada um na sua. Aparentemente, não estão se comunicando, não se falam, não se olham, não se cheiram, não se tocam. Mas não é isso. Existe um intercâmbio vivo, uma presença compartilhada na qual ambas as solidões se juntam e se envolvem uma na outra. Rilke expressava isso lindamente:

O amor consiste nisto:
Duas solidões que se protegem,
Se tocam mutuamente
E se saúdam.

Isso é o que significa respeito à intimidade. Amar com cuidado para que não haja sobressaltos e encontrar-se nos corredores. Respirar o mesmo ar sem contaminá-lo e compartilhar o amor sem que seja necessariamente de forma explícita. Splager resume muito bem a ideia central de amar em solidão e mesmo assim continuar amando: "Nem todos sabem estar sozinhos com outros, compartilhar a solidão. Temos que nos ajudar mutuamente a compreender como ser em nossa solidão, para podermos nos relacionar sem nos apegarmos um ao outro. Podemos ser interdependentes sem ser dependentes. A saudade do solitário é a dependência rejeitada. A solidão é a interdependência compartilhada".

A autossuficiência e a autoeficácia

Muitas pessoas dependentes, com o tempo, vão configurando um quadro de inutilidade crônica. Uma mistura de negligência com medo de errar. De tanto pedir ajuda, perdem a autoeficácia.

O devastador "Não sou capaz" vai se apoderando do dependente até torná-lo cada vez mais incapaz de encarar a vida sem supervisão. Atividades simples como levar o carro à oficina, chamar um eletricista, reservar passagens e parar um táxi tornam-se o pior dos problemas. Estresse, dor de cabeça e mal-estar. A tolerância às dificuldades fica cada vez mais baixa. Como diz o ditado: "A preguiça é a mãe de todos os vícios".

Assim, lenta e incisivamente, a insegurança diante do próprio desempenho vai tomando conta e deitando raízes. Como uma bola de neve, a incapacidade arrasa tudo. A tautologia é destrutiva: a dependência me torna inútil, a inutilidade me faz perder a confiança em mim mesmo. Então, tento depender mais, o que aumenta ainda mais minha sensação de inutilidade, e assim sucessivamente.

Conheço uma mulher que literalmente para de funcionar quando o marido viaja. Ela desliga. Seu metabolismo entra em recesso e suas funções vitais vão se tornando cada vez mais lentas até chegar à apatia total. Em certos dias, ela nem sequer se levanta da cama. O asseio pessoal desaparece; ela não sai, não vai ao cinema, não visita a mãe, não recebe visitas, não vê televisão, não se preocupa com sua alimentação; ou seja, não existe. E não é depressão ou saudade devido à distância, e sim ausência de energia. Como um carro sem gasolina. Sem a presença do marido, as coisas deixam de ter um sentido motivacional para ela; não têm sequer um sentido de conveniência. Quando surge algum problema, ela não o resolve; espera que ele ligue ou o posterga para quando ele chegar. Em suas palavras: "Quando ele não está, as coisas não são iguais... faço as coisas, mas não curto... Sair? Para quê? Melhor esperar e sair com ele... Sei que pode parecer dependência, mas eu vivo para ele e não acho ruim". Como um simples anexo ou um pálido reflexo do que ela poderia ter sido e não foi. Uma deficiente afetiva.

Se você é dessas pessoas que precisam do aval do parceiro até para respirar, largue esse pulmão artificial e liberte-se. Desprenda-se dessa incompetência insuportável. Permita que o princípio da autonomia limpe o lixo acumulado por causa do apego. A independência é o único caminho para recuperar sua autoeficácia. Sentir-se incapaz é uma das sensações mais destrutivas, mas não fazer nada e se resignar a viver como um inválido é pior. Mesmo que o esforço não lhe agrade, assumir a responsabilidade por si mesmo impedirá que sua dignidade vá a pique.

Por que o princípio da autonomia gera imunidade ao apego afetivo?

Porque a *autonomia* produz esquemas antiapego e promove maneiras mais saudáveis de se relacionar afetivamente, pelo menos em três áreas básicas:

a) Pessoas mais autônomas melhoram ostensivamente sua autoeficácia, adquirem mais confiança em si mesmas e se tornam mais autossuficientes. Previne-se e/ou se vence *o medo de não ser capaz.*
b) A liberdade educa e aumenta os limiares de tolerância à dor e ao sofrimento. Tendo que encarar o mundo e lutar pela própria sobrevivência, elimina-se o mau costume de evitar o desconforto. Em outras palavras, ajuda no amadurecimento emocional. Previne-se e/ou se vence *o medo de sofrer.*
c) A autonomia implica um melhor manejo da solidão. As pessoas que adotam a autonomia como forma de vida adquirem melhores níveis de auto--observação e uma maior autoconsciência. Considerando que a solidão está na base de todo apego, previne-se e/ou se vence *o medo da solidão.*

Algumas sugestões práticas

1. Ser responsável por si mesmo

Embora o comodismo tenha lá suas vantagens, já é hora de deixar a inutilidade de lado. Assumir a responsabilidade por si mesmo é um prazer indescritível, muito mais que ser acomodado. Quando você for capaz de resolver as coisas sem ajuda, terá a maravilhosa sensação de andar pela vida a duzentos quilômetros por hora. A partir de hoje, não delegue aquilo que você pode fazer. Os intermediários nunca fazem as coisas direito. Se você tem a mania de consultar tudo, dê-se o gostinho de errar. Entregue-se à tentação dos erros. É o único pecado que Deus patrocina pessoalmente. Se você erra, cresce; se não erra, fica estancado.

Comece fazendo uma lista das coisas que precisa arrumar ou resolver, e que vem adiando por não ter um "especialista" disponível. Defina suas prioridades, estabeleça uma ordem do dia e das tarefas a cumprir. E não postergue mais! Simplesmente comece. Pegue o telefone e pesquise. Vá até o lugar. Incomode-se até os ossos. Mesmo debaixo de chuva, vá. Sem desculpas. Chega de negligência. Chega de não cuidar do que você ama. Seus pertences são importantes. Cuide deles, ame-os. Faça a manutenção de sua vida de vez em quando. Ninguém fará isso melhor que você. Quando parar de se deixar nas mãos dos outros e passar a ser responsável por seus atos, você descobrirá sua verdadeira força.

Se com seu parceiro você assume o papel do inútil, mude isso. Questione esse papel. Livre-se da deficiência.

Você não precisa ser fraco para ser amado. Tranquilize a pessoa a quem ama, explique que sua transformação não o afastará dela, ao contrário, você a amará muito mais. Você a amará com a força de quem já não tem medo. Amará com a calma de quem não busca segurança. Simplesmente amará em liberdade.

2. Curtir a solidão

Faça as pazes com a solidão. Não tenha tanto medo dela. Ela não morde, acaricia. Pode, inclusive, fazer-lhe coceguinhas. É verdade que às vezes ela nos assusta, mas nos ensina. Fique com ela uns dias. Experimente-a, veja que sabor tem. Pode começar saindo sozinho, sem companhia de nenhum tipo, nem de parentes, nem de amigos. Vá um dia ao cinema, no horário de pico, quando todo mundo vai acompanhado, e fique na fila com cara de eremita despeitado. Mostre-se solitário. Deixe que algumas pessoas olhem para você com dó ("Coitado, não tem com quem vir"). E daí? Por acaso você precisa ter um vulto a seu lado para ver um filme? Um sábado à noite, faça uma reserva em um restaurante badalado da cidade. Vista sua melhor roupa e chegue sem companhia. Vá para sua mesa sem mais séquito que o garçom e quando ele lhe perguntar se está esperando mais alguém, responda com um lacônico "não" (como se dissesse: "Hoje não preciso de ninguém"). Peça um bom vinho e deguste a comida como se fosse a mais requintada. Comporte-se como um epicurista. Ignore os olhares. Você vai descobrir que, felizmente, você não é tão importante. Em cinco minutos ninguém mais vai reparar em você. Vai passar totalmente despercebido até para os mais fofoqueiros. Leve sua solidão para passear com elegância e decoro. Areje-a. Não a esconda como se fosse um ato de mau gosto. Não tenha vergonha de andar com ela. Mostre-se como um ser independente. Na hora da verdade, você não é mais que um ser humano que às vezes gosta de estar sozinho.

Busque o silêncio. Contemple-o. Aproxime-se dele sem muito barulho. Saboreie-o. Quando chegar em casa, não corra para a televisão, rádio, computador ou aparelho de som. Primeiro relaxe. Fique um pouco sem comunicação com o mundo. Não percebe que seu cérebro está superestimulado? Desafogue-o. Interne-se por algumas horas no sossego da falta de notícias. Elimine toda nova informação por um tempo. Não fale com ninguém. Feche-se por dois ou três dias. Desligue o telefone. Isole-se. Pratique a mudez.

Você também pode ficar algumas horas sem estímulos visuais. Cubra os olhos e brinque de ser cego. Ande pela casa e tente fazer algumas atividades sem olhar. Utilize os sentidos silenciosos, como o tato, o olfato e o movimento.

Procure um lugar afastado, onde a natureza esteja presente. Fuja por uns dias. Afaste-se do burburinho artificial e busque o som natural. Deixe que sua mente lotada ouça a si mesma sem tanta interferência. Medite e olhe-se por dentro na calma de uma trilha, ou no concerto dos animais noturnos (não discuta com os grilos). Curta o som da chuva. Repouse sob uma árvore e deixe que a brisa se insinue. Isso não é sentimentalismo de segunda, e sim vontade de viver intensamente os sons do silêncio.

Se você não tem um companheiro e se sente sozinho, não tenha pressa de procurar alguém com o desespero do dependente. Não pegue a primeira opção. A experiência me ensinou que quanto menos se busca o amor, mais se encontra. O desejo descontrolado assusta os candidatos de qualquer sexo. Se sua ansiedade puder ser notada e sua vontade sair pelas orelhas, você vai espantar qualquer ser humano que se aproxime. Apague a plaquinha de sua testa: "Procuro alguém" e troque esse conteúdo por um mais decente: "Estou bem assim". Declare-se em estado de solidão por um ano. Mas não porque está mal, e sim porque você decidiu: "Não vou ficar com ninguém durante um tempo" (claro que se o amor de sua vida aparecer, a coisa muda). Quando fizer as pazes com a solidão, os apegos deixarão de incomodar.

3. Tentar vencer o medo

Com certeza, mesmo que não acredite, você é muito mais corajoso do que pensa. É em situações-limite que mais nos conhecemos. Muitas pessoas que passaram a vida morrendo de medo mostram uma força impressionante diante das adversidades. Não estou dizendo que você tem que ser uma versão de Mel Gibson em *Coração valente*, mas, sim, que pode tirar de suas limitações o lado audaz que sempre escondeu. Não estou falando de ganhar e vencer, e sim de tentar. Quando tentamos de verdade, nosso eu se fortalece. Nesse dia, dormimos melhor. Não haverá remorsos nem reclamações de si mesmo. Em paz: "Pelo menos eu tentei".

Escolha um medo qualquer que seja irracional e que não seja objetivamente prejudicial (ou seja, uma fobia) e enfrente-o. Pode ser por aproximações sucessivas ou de uma só vez, sem anestesia. Se for de baratas, saia à procura delas. Não fuja do nojo ou das sensações. Sinta o medo a fundo. Não o evite, sinta-o. Entre no medo. Esmague-as. Pule sobre elas. Você pode gritar, xingar e sacudir o corpo ao compasso da adrenalina, mas não deixe que um

O princípio da autonomia, ou ser responsável por si mesmo

mísero inseto nojento proclame vitória. Se tentar uma vez, da próxima será mais fácil. Se a vida de um ente querido dependesse de seu medo de barata, você já o teria vencido. Tente a mesma coisa com outras apreensões: de falar em público, da rejeição, de altura, de água, do escuro, enfim, qualquer que seja a fonte de seu medo. Não há mais opção; tem que enfrentar.

Teste a si mesmo. Faça exatamente aquilo que teme. Não espere que a situação chegue, provoque-a. Chame o medo. Desafie-o. Na hora da verdade, é só a química correndo por suas veias. É desagradável, mas não dói. Procure estar atento às oportunidades. Quando alguma coisa lhe causar medo, veja-a como uma oportunidade para fortalecer sua coragem. Esse é o segredo.

O princípio da autonomia lhe ensina a ser independente. A viver por si mesmo sem se tornar antissocial. Mostra-lhe o caminho da emancipação psicológica e afetiva. Quando uma pessoa decide tomar as rédeas de sua vida, os apegos não prosperam tão facilmente. Diminuem, apagam-se. Se você exercer o direito de ser livre, será capaz de enfrentar as situações difíceis (inclusive problemas afetivos), a solidão será uma oportunidade para crescer (não ficará tão dependente de que o amem), confiará mais em suas capacidades (não esperará que seu companheiro o proteja), fortalecerá sua vulnerabilidade à dor e não temerá tanto o abandono. Concluindo, será mais valente. Nas palavras de Tagore: "Não desejo que me livre de todos os perigos, mas que me dê valentia para enfrentar todos eles. Não peço que minha dor seja eliminada, mas coragem para dominá-la. Não procuro aliados no campo de batalha da vida, mas forças em mim mesmo. Não imploro, com temor ansioso, para ser salvo, mas peço esperança para ir conquistando, com paciência, minha própria liberdade".

O princípio do sentido da vida

Cada vez que toco no tema da espiritualidade, alguns colegas ultracientíficos trocam um olhar de desconfiança, erguem uma sobrancelha e ajeitam o colarinho da camisa. Esse assunto provoca comichão em certos acadêmicos, que não conseguem aceitá-lo facilmente porque se afasta dos padrões tradicionais de pesquisa. Também não o repudiam por completo, porque os que conseguem ter esse sentido especial de transcendência mostram uma série de vantagens para a sobrevivência que outras pessoas não têm: vivem mais tempo, melhoram de maneira substancial sua qualidade de vida, adoecem menos, enfrentam enfermidades terminais com mais integridade, criam imunidade a muitas doenças mentais, perdem o medo da morte e, o que é mais importante, são extremamente resistentes contra apegos de todo tipo.

As pessoas que encontraram o caminho da autorrealização, ou que têm força espiritual, são duras de matar. Movem-se de maneira mais fluida e não costumam ficar estancadas em idiotices. Não ficam procurando algo a que se apegar para se sentirem protegidas. Já incorporaram a segurança em seu HD. Amar alguém assim é maravilhoso, mas assustador, porque ele pode dar a impressão de ser independente "demais". Um companheiro sem medos assusta os inseguros. "Eu te amo, mas posso viver sem você" é uma afirmação que pode provocar um infarto instantâneo em mais de uma pessoa apaixonada. Os condicionamentos sociais instituíram uma falsa premissa: amor sem medo não é amor. Quando um indivíduo encontra sua autorrealização vocacional ou transcendental, ama com uma paz especial. Não é perfeição, e sim tranquilidade interior. E, embora possa parecer suspeito de desamor, não é o caso. Simplesmente deixou que os apegos caíssem por seu próprio peso: há desejo, mas não dependência.

Para compreender melhor o que é o sentido de vida, vamos dividi-lo em duas dimensões básicas: *autorrealização* e *transcendência*.

A AUTORREALIZAÇÃO

Esse princípio se refere à capacidade de reconhecer os talentos naturais que possuímos. As habilidades singulares que surgem de nós de maneira espontânea, sem tanto alarde nem especializações. Simplesmente estavam ali o tempo todo e ainda persistem. Vivemos com nossas faculdades nas costas e nem sequer percebemos.

A pergunta-chave é: como saber se estamos desenvolvendo esses talentos? Se as respostas às três perguntas seguintes forem positivas, é porque você está no caminho certo; senão, precisa revisar alguma coisa:

a) Você pagaria para fazer o que está fazendo?
b) As coisas que você faz bem e que curte fazer surgiram de você mais de forma natural que por aprendizagem?
c) Quando está fazendo aquilo pelo que sente paixão, as pessoas se aproximam de você, em vez de afastar-se?

Este é o talento natural: *uma capacidade guiada pela paixão, que vem de dentro e reúne as pessoas quando aparece.* Todos nós a possuímos, todos podemos alcançá-la, todos nós estamos aptos a desenvolver nossa capacidade criativa, se nos deixarem e tivermos coragem para isso.

Uma pessoa que encontrou sua vocação e sente paixão pelo que faz torna-se imune à dependência afetiva, porque sua energia vital se abre para outras experiências. E isso não significa incompatibilidade, e sim amor a quatro mãos. Desenvolver os talentos naturais é se abrir para outros prazeres sem descuidar do vínculo afetivo. O parceiro não é abandonado, e sim integrado, amado com plenitude.

Quando a vocação é levada a termo feliz, a mente se tranquiliza e as inseguranças desaparecem. As pessoas autorrealizadas não são possessivas: são independentes e fomentam a honestidade interpessoal. Não precisam tanto do apego, porque a perda e a terrível solidão já não as assustam.

A TRANSCENDÊNCIA

Acreditar que estamos participando de um projeto universal e aceitar a importância disso nos coloca, automaticamente, no plano espiritual. A vida evolui em um sentido de complexidade crescente, em que possivelmente somos a ponta de lança de uma transformação que não percebemos ainda. O grande mestre Teilhard de Chardin dizia: "A criação não terminou: está acontecendo neste instante". E, assim sendo, estamos participando ativamente dela. Transcender significa tomar consciência (dar-se conta) de que sou, possivelmente, muito mais do que julgo ser.

Sentir que estamos participando de um projeto universal nos torna fortes, afasta-nos do mundano e questiona nossa presença no planeta. Os animais não sabem que vão morrer, nós sim. Muitas pessoas que recorrem à ajuda psicológica ou psiquiátrica buscam aliviar sua frustração existencial, porque se sentem vazias e dizem que não encontram um motivo de vida. Ter um vetor orientador que nos empurre para um fim cósmico, para uma compenetração com Deus, o universo ou como queiramos chamá-lo, dá-nos um sentido de vida. Não há dúvida: os ideais, qualquer que seja sua origem, fazem-nos crescer. E não me refiro aos fanatismos religiosos e a sua consequente ignorância, e sim à posição séria e honesta de acreditar em algo mais. Voltaire dizia: "Se Deus não existisse, teria que ser inventado".

O "além" não é incompatível com o "aquém". Deus não exige tanto. Crescer espiritualmente não é discrepante do amor terreno, picante e carinhosamente contagioso que sentimos pelo companheiro. Exaltar a vida interior ajuda a se desprender dos lastros do apego, mas nada tem a ver com desamor.

POR QUE O PRINCÍPIO DO SENTIDO DE VIDA GERA IMUNIDADE AO APEGO AFETIVO?

Porque o sentido da vida gera esquemas antiapego e promove maneiras mais saudáveis de nos relacionarmos afetivamente em pelo menos quatro áreas básicas:

a) As pessoas que adquirem um sentido de vida conseguem se distanciar das coisas mundanas e têm uma visão mais completa e profunda da própria vida. Em geral, não se apegam tanto às coisas terrenas, incluindo o afeto. Não que não se interessem pelo material, mas é que conseguem dar-lhe o lugar que merece.

b) Assim como acontece com o princípio da exploração, o desenvolvimento dos talentos naturais permite uma expansão da consciência afetiva. Por haver outras fontes de satisfação, a preferência motivacional deixa de existir. Enfraquece o esquema de exclusividade prazerosa em relação ao parceiro e promove-se a independência psicoafetiva. O gosto pela vida também começa a incluir a própria autorrealização.

c) A transcendência permite redimensionar a experiência do sofrimento. Não que suportemos mais a dor, mas é que ela se dilui, recoloca-se em outro contexto, e lhe outorgamos um novo significado. As pessoas que têm uma vida espiritual intensa são mais fortes diante das adversidades e emocionalmente mais maduras. Aprendem a renunciar e a se dar por vencidas quando necessário.

d) Participar da ideia de um projeto universal me outorga um sentido de pertencimento especial. Um ponto de referência interno com a essência da vida, que elimina a necessidade de proteção e diminui a vulnerabilidade à dor. A ideia de uma missão pessoal nos exonera imediatamente de qualquer apego.

Algumas sugestões práticas

1. Não matar a vocação

Na vida, nunca devemos nos resignar a viver infelizes. A autorrealização é um direito que temos só pelo fato de termos nascido. Se você tem a convicção de não estar trabalhando no que gosta de verdade ou se se sente subutilizado, enfrente isso. Não importa quantas obrigações tenha, abra o leque de possibilidades. Não estou dizendo para ser irresponsável; o que sugiro é que não se dê por vencido. Mande seu currículo a Deus e o mundo, leia os classificados, fale com os amigos e conte a todos para que você serve. Diga quais são seus talentos e brigue contra sua localização ruim na vida.

Prevenindo o apego afetivo

Fuce em seu passado para resgatar aquela velha vocação de adolescente. Se não puder trabalhar nela, transforme-a em sua paixão alternativa. Retome-a. Arranje tempo para essa habilidade que você adora e que não o cansa. Não pense se sabe fazê-lo bem ou mal. Isso não importa; o importante é que lhe agrade, que você se divirta e que curta intensamente. Se seu marido lhe disser que aulas sobre determinado assunto não geram lucro, recorde-lhe de que as pessoas valem pelo que são, não pelo que têm. E acrescente, em tom enfático, que os melhores ganhos da vida costumam não vir com um cifrão na frente. Se sua esposa brigar com você toda vez que decidir praticar seu passatempo, ignore-a. Paixão não é negociável. Ponha seu talento para rodar. É seu; pertence a você, assim como seus olhos, nariz ou cabelo. Não peça permissão, não se justifique nem tente convencer ninguém. Se você gosta de jardinagem, encha-se de terra até as orelhas; quem se incomodar que feche os olhos. Inscreva-se em um curso de jardinagem avançada, compre o livro do jardineiro feliz (com certeza existe um) e comece a flertar com cada planta que encontrar. Mais ainda, faça amor com elas. Se você gosta de marcenaria, não precisa de ferramentas profissionais. Com pregos, martelo e madeira já dá para começar. Se gosta de música, tranque-se para ouvir. Devore o CD e deixe que a fíbula, a tíbia e a patela se harmonizem em um compasso alucinante. Se gosta de cantar, cante. No chuveiro, na rua, no ônibus, na missa, nas reuniões chiques, nos domingos de manhã, na desventura e na alegria. Cante na cara de seu vizinho insuportável ou de seu melhor amante. Mas cante. Se você não se mantiver em forma mexendo com seus talentos, eles vão enferrujar. Faça as pazes com a imaginação.

Você nasceu para algo especial. Como acontece com a maioria, é possível que aquele seu pequeno esboço de genialidade infantil tenha sido cerceado por seus pais, em nome do futuro e "por seu bem". Mas não; quando você está desenvolvendo seus talentos, a vida se encarrega dos detalhes. A maioria das pessoas vai de um lugar a outro tentando sobreviver por sobreviver. Esse não é o caminho. Busque dentro de si e expresse sua singularidade. Abra um espaço para sua vocação. Se a reprimir, você estará perdendo muito mais que uma oportunidade. Estamos falando de sua vida. Não importa quão bem-sucedido você seja. Não importa quanto sua empresa vendeu ou se você pôde atingir suas metas. Se você tivesse câncer ou fosse vítima de um sequestro, os indicadores de vendas seriam um dado de mau gosto. Se você não for você mesmo em pessoa, a verdadeira, a única, a ímpar, será apenas uma incipiente imitação. Uma sombra platônica. Comece hoje; volte à sua infância e resgate a mais antiga e recalcitrante capacidade. Traga-a ao presente, ponha-a para funcionar a pleno vapor e curta-a sem medos, com o encanto de quem ganha um brinquedo pela primeira vez.

Se você fizer tudo isso e começar a fortalecer sua realização pessoal, o apego afetivo começará a perder funcionalidade; já não será tão necessário. E pode, inclusive, tornar-se um estorvo, porque o desenvolvimento de suas potencialidades terá ocupado o primeiro lugar.

2. Expandir a consciência

Se você não é uma pessoa de plástico ou um compulsivo acumulador de objetos materiais, já deve ter se feito as três típicas perguntas existenciais: "Quem sou?", "O que estou fazendo aqui?" e "Para onde vou?". E isso não significa desorientação, e sim dúvida metódica. Existencialismo cotidiano e perguntas de transeunte. Você é resultado de milhões de anos de evolução; uma evolução que tem o atributo de crescer em complexidade. O animal faz contato com a natureza; mas você, além disso, faz contato com seu interior. Você possui autoconsciência, a capacidade de pensar sobre o que pensa. Você é matéria se transformando em espírito. Você tem a incrível missão pessoal de conhecer a si mesmo. Quando você se observa e se descobre, é o universo inteiro que observa a si mesmo. Você é um momento, um instante fugaz na imensidão do cosmo, mas faz parte de um processo em expansão universal, infinitamente maior, que o contém. Estamos todos de passagem e no caminho de volta para casa. Você veio contemplar a criação, observá-la, curti-la e cuidar dela. Somos trabalhadores do universo. Pó de estrelas, como dizem. Em nós se reproduz a história de toda a humanidade, e você pode ter acesso a ela. O poeta colombiano Rafael Maya dizia isso a sua maneira:

Passei a noite toda enumerando astros.
Sobrou-me fantasia
Mas faltou-me espaço.
Então, dentro da alma,
Continuei os astros contando.

Faça um exercício simples. Feche os olhos e pense que você está conectado com os objetos e as pessoas de seu mundo imediato. Procure romper o isolamento mental. Imagine que a realidade material tem uma infinidade de camadas e que você consegue descer por elas até descobrir que, na profundidade subatômica, somos exatamente a mesma energia. Como se todos nós fôssemos pontas de iceberg aparentemente desconectadas, mas unidas por um continente subterrâneo. Você não está sozinho. O isolamento é uma ilusão. Tudo afeta tudo. Embora não se note imediatamente, o que acontece em outras latitudes cedo ou tarde exerce influência sobre você. Isso implica que aquilo que você fizer com sua vida afetará outras pessoas. Você é o mundo. Você é a consciência da humanidade; se assumir isso, entenderá que sua responsabilidade é imensa e apaixonante.

Você pode começar a ler sobre religião. Por que não? Não acha interessante pesquisar as religiões comparadas? O budismo, o hinduísmo, o cristianismo, o taoísmo, o judaísmo e o islamismo. Acaso não estaríamos falando a mesma coisa em idiomas diferentes? O conhecimento não necessariamente gera o fenômeno da fé, mas pode enriquecê-lo e evitar que você caia no pensamento mágico, na credulidade extrema ou na ignorância. Einstein dizia: "Defendo que o sentimento religioso cósmico é o motivo mais forte e mais nobre para prosseguir a investigação científica". A ciência põe seus pés na terra para que você possa saltar mais longe. Tente ler sobre teologia. Indague sobre as crenças, assista a alguns cultos, converse com crentes e ateus. Investigue. Não para escolher, e sim para conhecer. A posição existencial que você vai assumir aparecerá sozinha. Ela se gestará em você sem muito alarde e sem tanta pompa. Deus quase não fala, mas, quando o faz, sua linguagem é inconfundível. Nas palavras do escritor grego Nikos Kazantzakis: "Disse à amendoeira: 'Fala-me de Deus', e a amendoeira floresceu".

Fuce dentro de si. Mergulhe. Estude seus estados internos. Você pode usar a meditação, a ioga, a oração ou qualquer outro método, mas dedique um tempo para avaliar sua existência. Instale uma linha direta com Deus para falar com ele sempre que quiser e, se der ocupado, insista. Lembre-se de que quando falamos de transcender, queremos dizer que saia do imediatismo e vá além dos limites da aparência. Você não precisa ser Madre Teresa de Calcutá, São Francisco de Assis ou a versão ocidental do "Pequeno Gafanhoto". Com seu estilo e a sua medida, quando abrir a porta da transcendência, você vai se conectar com algo especial. E não terá que fazer uma peregrinação à Terra Santa, a Meca ou ao Tibete. Bastará que deixe sair o que estava preso dentro de si. Um poema irlandês do século IX dizia assim:

Ir a Roma – grande
esforço, pouco
proveito;
não encontrarás lá o
Rei que buscas, a
menos que o leves
contigo.

Prevenindo o apego afetivo

O princípio do sentido de vida lhe ensina a se desligar de muitas das suas amarras. Permite-lhe ter uma visão mais holística do universo e de si mesmo. Ajuda-o a se desprender do supérfluo e do inútil. Outorga-lhe maior riqueza interior e independência psicológica. Seus interesses serão cada vez mais vitais, e mais madura sua maneira de amar. Você sentirá que não haverá mais tanto medo da perda e sua necessidade de posse será substituída pela felicidade de ter um propósito de vida. Todos os indivíduos deste planeta, admitindo ou não, têm a tendência a buscar além do evidente. Viktor Frankl dizia: "O tempo todo o ser humano aponta, acima de si mesmo, para algo que não é ele mesmo, para algo ou para um sentido que há de cumprir, ou para outro ser humano a cujo encontro vai com amor".

PARTE 3

Vencendo o apego afetivo

Como se desligar dos amores doentios
e não ter recaídas

Espero curar-me de ti em poucos dias.
Devo parar de fumar-te, de beber-te, de pensar-te.
É possível. Seguindo as prescrições da moral em turno.
Eu me receito tempo, abstinência, solidão.
JAIME SABINES

Se você me trai uma vez, a culpa é sua.
Se me trai duas vezes, a culpa é minha.
ANAXÁGORAS

Muitas pessoas vivem presas em relações afetivas doentias das quais não podem, ou não querem, fugir. O medo de perder a fonte de segurança e do bem-estar as mantém amarradas a uma forma de tortura pseudoamorosa, de consequências fatais para sua saúde mental e física.

Com o tempo, estar mal torna-se um costume. É como se todo o sistema psicológico adormecesse e começasse a trabalhar a serviço da dependência, fortalecendo-a e evitando enfrentá-la por todos os meios possíveis. Lenta e silenciosamente, o amor passa a ser uma utopia cotidiana, um anseio inalcançável. E, apesar da letargia afetiva, dos maus-tratos e da constante humilhação de ter que pedir ternura, a pessoa apegada a uma relação disfuncional se nega a possibilidade de um amor livre e saudável; estanca, paralisa e se entrega a sua má sorte.

Não importa que tipo de vínculo você tenha; se quiser realmente se libertar dessa relação que não o deixa ser feliz, você pode. Não é impossível. A casuística psicológica está cheia de indivíduos que conseguiram pular para o outro lado e fugir. É preciso começar mudando os velhos costumes viciosos e limpar sua maneira de processar a informação. Se aprender a ser *realista* no amor, se você se *autorrespeitar* e desenvolver *autocontrole*, começará a administrar sua própria revolução afetiva.

O princípio do realismo afetivo

Realismo afetivo significa ver a relação a dois tal como ela é, sem distorções nem autoenganos. É uma percepção direta e objetiva do tipo de intercâmbio que mantenho com a pessoa que supostamente amo. Uma auto-observação franca, assertiva e meio cruel, mas necessária para curar o vínculo ou terminá-lo, se for preciso. Analisar honesta e abertamente o "toma lá dá cá" amoroso é o requisito primordial para aplainar o caminho rumo a uma relação afetiva e psicologicamente prazerosa. No entanto, na prática, as pessoas apegadas a relações afetivas perniciosas constantemente se esquivam dos fatos.

Na dependência amorosa, o autoengano pode adotar qualquer forma. A fim de prender a pessoa que dizemos amar, distorcemos, negamos, justificamos, esquecemos, idealizamos, minimizamos, exageramos, dizemos mentiras e cultivamos falsas ilusões. Fazemos qualquer coisa para alimentar a imagem romântica de nosso sonho amoroso. Não interessa que todas as evidências disponíveis estejam contra; não damos a mínima para as demonstrações e o acúmulo de informes contraditórios que amigos e familiares fornecem: a fonte do apego é intocável, e o aparente amor, inamovível.

P. R. era um homem de 41 anos, separado havia oito meses porque sua mulher tinha se apaixonado por outro e o abandonara com a frieza das mulheres que nunca amaram. Sozinho, bastante deprimido e profundamente magoado, ele deu início à típica perseguição e conquista masculina: de uma mulher que cuidasse dele e, de quebra, que o amasse. Depois de sair com várias candidatas e de renegar as opções que o meio oferecia, ele decidiu voltar suas armas para uma mulher casada, colega de escritório, confidente e terapeuta amadora. A imperiosa urgência dele de recuperar seu status social e um pobre casamento da parte dela fizeram que rapidamente traçassem planos e projetos de vida futura. Ela ia se separar e ele assumiria com prazer o papel de segundo marido e pai substituto das filhas dela. O entusiasmo de meu paciente beirava a euforia e, às vezes perigosamente, o delírio. Eles se viam quatro vezes por semana, ligavam-se o tempo todo e não podiam viver um sem o outro. Suas afinidades, quase que totais, incluíam humor, valores altamente sincronizados, sexo cheio de orgasmos múltiplos e muita compatibilidade em atividades intelectuais, musicais e culinárias. O casal perfeito.

O princípio do realismo afetivo

Como, segundo minha experiência profissional, amantes de estados civis diferentes não costumam chegar a lugar nenhum, eu sugeri a P. R. moderação, prudência e bastante realismo para não se machucar. Quando um dos envolvidos é casado e o outro está plenamente disponível, quem sai perdendo é o segundo. Embora o amor costume ser considerado um fator determinante para um casamento, o desamor não é visto como um motivo necessário e suficiente para acabar com ele. Em outras palavras, para que houvesse causa válida de divórcio, o marido da amante de meu paciente deveria ter matado alguém, violentado uma criança ou estar morto.

Meu cliente insistia em cultivar as expectativas. Frases como "Ela vai se separar semana que vem" ou "Já marcamos a data" haviam se tornado comuns em nossas sessões. No entanto, de última hora sempre aparecia um "mas". Uma das vezes, o marido havia entrado em depressão; em outra ocasião, os negócios andavam mal; e, na última, o sogro estava à beira da morte.

Embora minhas confrontações fossem sistemáticas e firmes, P. R. ficava só justificando as reiteradas dúvidas e retrocessos de sua futura consorte. Por exemplo, se ele afirmava: "Ela não é capaz de viver sem mim", e eu respondia: "Parece que também não é capaz de viver sem o marido", ele retrucava com fúria e indignação: "Isso não é verdade! Você não entende!". Nossas consultas eram uma espécie de luta greco-romana; cada vez que eu tentava puxá-lo para o concreto, ele tentava fugir mediante desculpas de todo tipo: "Não é tão fácil", "Ela estudou em colégio de freiras", "É a filha mais nova de oito irmãos", "O marido não a deixa se separar", "Ela é muito apegada às filhas", "Ela apanhava do pai quando era pequena", "Ela foi muito mimada", "É muito ansiosa", "Se ela pudesse, estaria comigo", "Sua mãe era alcoólatra"... Enfim, a lista nunca acabava. Mas nenhum dos seus argumentos contemplava a possibilidade de que ela não o amasse o suficiente para arriscar tudo por ele. Na hora da verdade, pouco importava se ela era fraca, insegura ou tímida; o importante para meu paciente era que a espera o afastava cada dia mais da possibilidade de conhecer outras pessoas que estavam disponíveis de verdade.

Por fim, depois de um ano e meio de vai-não-vai, a mulher se separou. O marido saiu de casa e ela decidiu encarar com valentia o custo de estar com o homem que amava. Infelizmente, e para surpresa de muitos (inclusive do marido), seu impulso durou apenas duas semanas. A culpa, as filhas, a mãe (especialmente a mãe), a sogra, o psiquiatra e sua melhor amiga, entre outros mediadores, fizeram-na mudar de ideia. Houve várias tentativas posteriores, mas todas foram infrutíferas. O medo a fazia voltar atrás.

O princípio do realismo afetivo

Há alguns dias, P. R. (que a continua esperando e vindo de vez em quando a meu consultório) e sua amante de cabeceira completaram quatro anos de relação clandestina. Festejaram em um restaurante simples, mas bem localizado e escondido. Na última sessão, ele trouxe uma "boa-nova" difícil de acreditar: "Desta vez sim ela vai se separar". Provavelmente estamos diante da versão adulta de *História sem fim*. Um pouco de realismo bastaria: "Acho que a amo, mas não sou capaz de seguir adiante"; no entanto, o apego obnubilava sua vista e seus sentidos.

O realismo afetivo sugere que devemos partir do que nossa vida amorosa é *de verdade*. O que *é*, e não o que gostaríamos que fosse. Quando conseguimos compreender a relação no aqui e agora, sem pretextos nem evasivas, podemos tomar as decisões acertadas, gerar soluções ou começar a despegar.

Apresentarei algumas das distorções cognitivas mais comuns que impedem que se alcance a posição realista mencionada, e que fortalecem irracionalmente a conduta do apego: *justificar o pouco amor recebido, minimizar os defeitos do companheiro, acreditar que ainda existe amor quando não existe, persistir obstinadamente em recuperar um amor perdido e afastar-se, mas não totalmente.*

JUSTIFICAR O POUCO OU NULO AMOR RECEBIDO

É duro aceitar que o outro não nos ama com toda a vontade. E não me refiro apenas ao prazer gerado pelo fato de nos sentirmos amados mas também à autoestima envolvida. Quando a pessoa que amamos nos ama pela metade, com limitações e dúvidas, a sensação que fica é mais de gratidão que de alegria, como se estivesse nos fazendo um favor.

Uma boa relação não permite receios afetivos. Quando o sentimento vale a pena, é tangível, inquestionável e quase axiomático. Não passa despercebido, não requer terapias especializadas nem reflexões profundas. Destaca-se e se nota. Como dizia Teilhard de Chardin: "Em que momento chegam os amantes a possuir a si mesmos plenamente, se não quando estão perdidos um no outro?".

Quando há dúvidas, o afeto está doente. Curá-lo implica correr o risco de que acabe; deixá-lo como está é fazer que o vírus se propague. A pessoa apegada sempre prefere a segunda opção.

1. "Ela me ama, mas não se dá conta"

Esse pensamento está alicerçado em uma ideia totalmente irracional. Quando uma pessoa está apaixonada, ela sabe, sente, vive a paixão em cada pulsação, porque o organismo se encarrega de avisá-la. Não passa despercebido. O amor chega como um furacão que quebra tudo ao passar. Os sintomas são evidentes, tanto fisiológica quanto psicologicamente. Se alguém não percebe que o amor o está atravessando de lado a lado, devemos pensar em algum dano neurológico incapacitante, talvez uma esquizofrenia catatônica, um autismo avançado ou algum tipo de síndrome de Down mascarado. O amor nunca é ignorante. *Se alguém não sabe que me ama, não me ama.*

2. "Seus problemas psicológicos a impedem de me amar"

A maioria das pessoas dependentes que não se sentem amadas tende a justificar o desamor de seu parceiro mediante causas psicológicas ou traumas infantis. As razões mais comuns englobam timidez, introversão, medo de se entregar, problemas de personalidade, criação ruim ou o famoso Édipo não resolvido. Um número considerável de mulheres e homens rejeitados afetivamente dão início a uma romaria de especialista em especialista para encontrar algum tipo de alteração (quem dera curável) que explique a indiferença de seu parceiro.

É verdade que alguns transtornos psicológicos podem causar uma queda transitória na capacidade de amar, como é o caso da depressão. Também é verdade que existem transtornos da personalidade que bloqueiam todo contato afetivo (por exemplo, os esquizoides). Há, inclusive, alterações de origem hormonal/metabólica que corroem o prazer da troca afetiva. No entanto, na maioria das vezes, não se chega ao desamor por causa de uma afecção orgânica ou psicológica, e sim por puro desgaste. Um belo dia, o amor, que se supunha ser inalterável e ultrarresistente, cai sobre si mesmo; simplesmente acaba ou nunca existiu. Embora não queiramos acreditar, o afeto, se descuidado, pode se extinguir para sempre.

Obviamente, é menos doloroso acreditar que o afastamento da pessoa amada se deve a uma anomalia que ao desafeto. Dizer "Ele está doente" não dói tanto quanto "Ele se cansou de mim". Pelo menos, o primeiro caso dá a possibilidade de alguma droga milagrosa (talvez um Viagra afetivo), mas, no segundo, se formos dignos, só nos restará sair de cena.

Se os problemas psicológicos de seu parceiro o impedem de lhe dar o carinho de que você precisa, ajude-o. Se, apesar de saber de seu sofrimento, ele não pede ajuda, questione seu amor ou sua sensatez. E se não houver alterações evidentes à vista, aproxime-se com discrição: *é possível que a causa do desamor seja simplesmente desamor.*

3. "Esse é seu jeito de amar"

Ninguém nega que existem estilos pessoais na maneira de amar, mas alguns são francamente suspeitos. Por exemplo, se o "jeito de amar" de meu parceiro incluísse antipatia, indiferença, egoísmo, agressão e infidelidade, não me interessaria adaptar-me a seu modo afetivo. E mais ainda: se eu fosse capaz, questionaria seriamente a relação. Uma paciente minha estava casada havia seis meses. Nesse tempo, o marido aceitara ter apenas duas relações sexuais, incluindo o período de lua de mel. As duas experiências haviam seguido a mesma rotina: ele se deitava de costas, não mexia um dedo, cobria a cabeça com o lençol, e soluçava e xingava enquanto ela tinha que fazer tudo, obviamente, sem muitos resultados. Embora houvessem namorado três anos, ela se casara virgem e não era muito experiente no assunto. Depois de lhe explicar que o comportamento de seu marido distava bastante de uma conduta sexualmente funcional e aceitável, eu lhe sugeri que falasse com ele para expressar sua inquietude e para convidá-lo à terapia. Ela tinha medo de confrontá-lo com esse assunto, mas aceitou. Na sessão seguinte, ela chegou mais contente e tranquila. Quando lhe perguntei se havia falado com ele, ela disse que estava muito melhor porque o marido lhe explicara que esse era seu "jeito de amar", que não havia nada com que se preocupar e que muitos homens faziam amor assim. Procurei fazê-la entender que a pouca frequência, a ausência de contato físico, a incapacidade de ejacular e a falta de desejo configuravam um estilo que não a satisfariam nem sexual nem afetivamente. E acrescentei que, a meu entender, estávamos diante de uma alteração psicoafetiva ou de um problema sexual que requeria tratamento. Depois de pensar a respeito uns instantes, ela decidiu tampar o sol com a peneira: "Talvez você tenha razão, mas quero me dar a chance de me adaptar ao estilo dele, para ver o que acontece... Talvez eu não tenha sido suficientemente boa para ele, ou a errada sou eu... Se eu não conseguir, prometo que volto à terapia".

Às vezes, especialmente quando o parceiro é preguiçoso e passivo, atribuir o problema a si mesmo e assumir a responsabilidade total pelos defeitos afetivos cria uma estranha sensação de alívio. Sentir-se culpado é muito desagradável, mas assumir a carga gera um ganho secundário: "Se eu sou a causa do problema, a melhora da relação dependerá de mim, e só de mim". Minha paciente voltou dois anos depois com um novo motivo. Havia tido relações sexuais com outro homem e estava decidida a não continuar se enganando: "Meu marido está doente... Já percebi que seu comportamento não é normal, mas ele se recusa a procurar ajuda". As comparações nem sempre são prejudiciais.

4. "Ele me ama, mas tem impedimentos externos"

Segundo a ciência moderna, os homens são especialmente sensíveis ao estresse. A essa causa já se atribuiu todo tipo de incompatibilidade com o desenvolvimento normal do amor, desde a impotência (o que é verdade) até o desamor (o que não é verdade). Trabalho excessivo, falta de dinheiro, agressão ou cansaço crônico, qualquer desculpa é boa para explicar (no fundo, para justificar) a distância afetiva. Segundo o que sabemos em psicologia, os problemas externos podem gerar irritabilidade, cansaço e certo mau humor, mas não necessariamente desamor. A pessoa não deixa de amar o companheiro porque está cansada, ao contrário: busca-o para ter colo. Quando um indivíduo está preocupado e intranquilo, o companheiro pode ser seu apoio, o oásis onde repousar. Mas, se o afeto for fraco, o parceiro pode se transformar em mais um motivo de estresse.

As vicissitudes da vida diária podem mudar um pouco o amor, mas não o anulam. Isso é mera invenção. *Se a pessoa só me ama quando não há problema algum, esse amor já entrou na UTI. Recomenda-se atendimento imediato.*

5. "Ele vai se separar"

Como explicarei mais adiante, certas coisas na vida não se pedem, porque devem ser dadas *motu proprio*. Se você tem que pressionar, acossar e ameaçar a pessoa que ama para que se separe, está errado. Muitas vezes, dizer "Não posso me separar" significa, na realidade, "Não tenho coragem de me separar". O princípio é concludente: *se a pessoa o amasse de verdade até as últimas consequências, estaria com você.*

Minimizar os defeitos do parceiro ou da relação

As pessoas apegadas tendem a reduzir os defeitos do parceiro ao mínimo, para que a relação seja mais suportável e diminuam os riscos de ruptura. Quando a minimização é exagerada, torna-se negação: "Está tudo bem", "Não há problema algum" ou "Tudo é suportável". O apego tem a perigosa propriedade de amplificar as virtudes e diminuir as deficiências segundo a conveniência. Todo o sistema de processamento de informação fica a serviço do autoengano. A estratégia é aumentar a indulgência para não ver as coisas e para que não doam tanto. A estratégia do avestruz.

6. "Ninguém é perfeito" ou "Há parceiros piores"

A comparação cínica confirmatória consiste em dar à exceção o status de regra. Essas pessoas não veem a árvore por ver o bosque.

O típico argumento "há piores" automaticamente diminui a importância de qualquer defeito. Rebaixa-o, esmaga-o ou o faz desaparecer, porque sempre é possível encontrar alguém em pior estado. Como se a estatística, por pura comparação, tivesse a estranha virtude de embelezar o feio e remediar o ruim.

Uma paciente minha, altamente dependente e insegura, aceitava que seu marido tivesse outra mulher com o pretexto de que "Todos os homens são infiéis". Um homem pretendia justificar o alcoolismo de sua esposa argumentando que toda nossa cultura é alcoólatra. Uma jovem adolescente se negava a terminar com o namorado que a agredia frequentemente, afirmando que havia companheiros piores e que a maioria de suas amigas era maltratada pelos namorados. O apego nos faz ver o anormal como normal, inverte os valores e os princípios.

7. "Não é tão grave assim"

O mecanismo utilizado nesses casos é o de minar as deficiências, *minimizando as consequências*. Ou seja: "Nada é tão grave" ou "Minha tolerância não tem limites". Um dependente afetivo disfarçado de bom samaritano, tentando segurar seu parceiro do jeito que for possível.

Uma mulher tentava não dar importância ao fato de que seu futuro marido tinha quase trinta anos a mais que ela e já havia sido casado quatro vezes. Suas reflexões eram duas: "O amor não tem idade" e "Separação não é ruim". Quando eu lhe disse que o amor tem idade, sim, porque envelhece, e que as pessoas se separam, sim, mas não tanto quanto seu futuro marido, ela negou qualquer possibilidade de questionamento: "Não acho tão grave… Algum defeito ele tinha que ter". Um ano e meio depois, ela não aguentou mais e se separou: "Não existe a quinta mulher errada". Em outro exemplo, um homem que era agredido pela mulher dizia que os maus-tratos eram "leves" porque ela só se limitava a insultos, empurrões e cuspidas. Uma paciente minha achava que o consumo diário de maconha de seu marido não era "tão grave", porque ele ia fumar no quintal para que as crianças não o vissem.

Dizer que nada é importante significa eliminar as aspirações, os desejos e os princípios pessoais. Ter flexibilidade é bom, desde que não viole a própria individualidade. Suportar as coisas sempre cheira a ranço e acaba aumentando os limiares da tolerância até limites indecentes. A docilidade é a estratégia ideal para os que não querem ou não podem ser independentes. Gostando ou não, certas coisas são graves, sim, insuportáveis e radicalmente não negociáveis. O mundo cor-de-rosa indiscriminado é uma invenção de quem não quer enxergar.

8. "Não me lembro de nada de ruim"

Algumas pessoas dependentes manifestam uma clara distorção na hora de recordar informações: *esquecem os problemas e recordam apenas as coisas boas da relação.*

Quando maximizamos os aspectos positivos da relação, minimizamos as dificuldades. Quando negamos o passado conflituoso da convivência afetiva, mentimos para nós mesmos. Uma análise adequada não deve excluir os dados negativos. "Minha vida a dois era perfeita" é uma maneira de esconder a sujeira embaixo do tapete. Não só porque a perfeição interpessoal não existe, mas também pela óbvia intenção de esconder as coisas. Maquiar a infelicidade do passado para que pareça mais suportável e menos sofrida não fará que as coisas melhorem. Quando certos indivíduos dizem com orgulho: "Nossa vida afetiva foi um mar de rosas", eu me pergunto: e os espinhos? Plutarco afirmava: "O amor é tão rico em mel quanto em fel". Esconder os sintomas faz que a doença passe despercebida e piore.

Quem pretende terminar uma relação ruim não pode esquecer as experiências negativas. Ao contrário, deve incorporá-las com benefício de inventário. Não é questão de magnificá-las e ficar obsessivo (ódio não é o oposto de amor), e sim de lhes dar o lugar que merecem. Se seu parceiro o maltratou, foi infiel ou o explorou de alguma maneira, esses fatos contam (e como!) na hora de tomar decisões. Negar ou evitar essa realidade indefectivelmente nos levaria a repetir os mesmos erros em outras relações.

Perscrutar o passado afetivo de uma relação perniciosa, sem raiva do outro e deixando o ressentimento de lado, pode ser benéfico e saudável para quem já está cansado de sofrer. Não se trata de maquinar vinganças ou desforra, e sim de ver até que ponto se justifica investir energia positiva em um amor em decadência.

NÃO SE RESIGNAR À PERDA (1):
ACHAR QUE AINDA HÁ AMOR ONDE NÃO HÁ

Um luto malfeito, ou seja, a não aceitação de uma ruptura ou de uma perda afetiva, pode se dever ao que em psicologia se conhece como correlações ilusórias. Em determinadas circunstâncias, podemos estabelecer nexos causais entre dois eventos que só estão relacionados em nossa imaginação. Essas "más leituras" ou interpretações erradas são muito comuns em pessoas que, ao fim de uma relação, insistem obstinadamente em ver amor onde não existe. Algo como *Eram os deuses astronautas?* em versão de fotonovela.

Os esquemas mais comuns que alimentam a confiança de recuperar o amor perdido são: "Embora não estejamos juntos, ele ainda me ama" (otimismo obsessivo perseverante), "Depois de tanto tempo, é impossível que tenha deixado de me amar" (costume amoroso) e "Um amor assim nunca acaba" (mumificação afetiva).

Esse leque de crenças é guiado pela ilusão de permanência e pela ancoragem no passado. A ideia central é que certas relações podem ser inalteráveis, invariáveis e resistentes aos embates da vida, como se estivessem em conserva. Um amor em formol.

O romantismo extremo gera nas pessoas que dele padecem um limbo afetivo, do qual se recusam a sair, e uma negação categórica em aceitar a ruptura. O famoso dito popular: "Onde houve fogo sempre haverá cinzas" parece reger a vida de muitos dependentes afetivos. Mas, nesses casos, seria melhor dizer: "Onde houve fogo sempre sobram queimaduras", e às vezes de terceiro e quarto graus.

Movidos pelo desejo, nem sempre consciente, de atestar a vigência do laço afetivo, as pessoas apegadas começam a reunir dados confirmatórios, desconhecendo que, em certas ocasiões, assim como dizia Tchekhov, a durabilidade da união entre dois seres não necessariamente indica amor ou felicidade, pois pode estar fundamentada em qualquer outro sentimento, como interesse, medo, pesar ou, inclusive, ódio.

9. "Ele ainda me liga", "Ainda me olha", "Ainda pergunta por mim"

A necessidade de manter o amor a todo custo pode levar a interpretar certos fatos isolados como indicadores de que ele ainda existe. Uma ligação telefônica da pessoa que "supostamente" nos ama pode ser motivada por muitas coisas diferentes do amor: uma simples saudade passa-

O princípio do realismo afetivo

geira, confirmar um boato, sentimentos de pesar ou de culpa. Um paciente meu, recém-separado, interpretava as ligações de sua ex-mulher para lhe pedir dinheiro como indícios de reconciliação: "Acho que ela está sentindo minha falta". Suas ilusões acabaram abruptamente quando ela moveu uma ação de pensão alimentícia contra ele.

Um olhar pode significar que sua ex ainda gosta de você, mas isso não tem nada a ver com afeto. Pode se tratar de uma "atração recordatória", reminiscências hormonais ou até estéticas. Um olhar pode ter origem na curiosidade de ver "como sobrevive sem você", se emagreceu ou engordou, como se veste ou com quem anda. Se o olhar for impregnado de sedução, é possível que haja algo mais, mas não significa necessariamente proximidade afetiva.

Da mesma maneira, se perguntam por você, o motivo pode ser pura e simples curiosidade. Antes de se entusiasmar, tenha certeza da razão. Uma paciente minha ficava muito feliz quando seu ex-namorado (que a havia trocado por outra depois de cinco anos de namoro, sem prévio aviso e "a seco") perguntava por ela de vez em quando. A dúvida havia se tornado preocupante e metódica: "Por que ele pergunta por mim?", "Se já não me ama, por que anda querendo saber coisas minhas?". A interpretação errada a levava a vislumbrar rastros de um afeto que havia deixado de existir fazia tempo. Quando eu lhe pedi que acabasse com a incerteza, que se livrasse do dilema e falasse com ele, ela concordou. O experimento foi muito produtivo, embora doloroso. Ela descobriu que o suposto "interesse" do amor de sua vida não era mais que uma forma de expiar a culpa por tê-la abandonado. O fato determinante e cruelmente definitivo foi quando ele decidiu dar uma de Cupido: "Eu sei que você não suporta a solidão e quero ajudá-la... Gostaria de lhe apresentar um amigo que chegou dos Estados Unidos e quer conhecer gente...". Às vezes, é preciso pegar o touro pelos chifres e destruir as quimeras que nos impedem de enterrar a relação. A estratégia mais recomendável nesses casos é eliminar a angústia da espera e trocar imediatamente o pensamento *Quem dera fosse possível* pelo sofrimento realista da resignação saudável: "Não há mais nada a fazer".

O amor não é um mapa de indiretas e pistas que temos que decifrar vinte e quatro horas por dia para saber quando, onde e como vão nos amar. Em uma boa relação, não há muito que traduzir, porque se fala o mesmo idioma, e embora existam dialetos, são variações de uma mesma língua. A melhor maneira de ser um bom decodificador afetivo é conectar a antena na terra.

10. "Ainda fazemos amor"

Como vimos no tópico sobre *apego ao sexo*, a sexualidade pode se mover exclusivamente no terreno fisiológico e criar dependência. Dá para ter relações sexuais sem fazer amor, ou fazer sexo sem amor. Qualquer pessoa pode se apegar sexualmente a outra, mesmo que não haja afeto. Em um número considerável de casais separados, o desejo sexual continua presente, apesar de o afeto ter desaparecido. Em outros casos, apesar de antes terem tido uma relação sexualmente fria, a libido se alvoroça inesperadamente depois do distanciamento. Do dia para a noite, o ex começa a se transformar misteriosamente na pessoa mais sensual e erótica do universo. Surge uma atração tardia e desconhecida até então, sacode o sistema límbico e incita os amantes a um êxtase de consequências imprevisíveis.

A verdadeira problemática surge quando o sexo se transforma, ilusoriamente, na prova de que o amor está vivo. Continuar transando com a pessoa que amamos sem sermos correspondidos é um absurdo. Cada encontro clandestino é a confirmação de um "sim" com sabor de "não" e uma afronta para a autoestima. A esperança em carne viva. Não esqueça que ser desejável não implica ser amado. Em suma: desejo não é amor.

11. "Ele ainda não tem outra pessoa" ou "Ainda está disponível"

O pensamento que alimenta a esperança do reencontro é o seguinte: "Se a pessoa que amo continua sozinha, eu ainda tenho uma chance". Ou, em uma versão mais entusiasta e atrevida: "Sou insubstituível" ou "Ele não conseguiu me esquecer".

No entanto, os fatos também podem significar outra possibilidade menos otimista e mais dolorosa: "Quem eu amo prefere ficar sozinho a ficar comigo". Mortal para qualquer ego.

Se aquele que em tese o ama prefere ficar sozinho a ficar com você, ponha em dúvida esse amor. Por definição, ninguém que está apaixonado, podendo escolher, prefere a solidão afetiva a estar com a pessoa amada. Nesses casos, é melhor ir com esse amor para outro lugar.

12. "Ele vai perceber meu valor"

É possível que, em certos casos, essa afirmação encontre apoio na realidade e, um dia, a pessoa que hoje nos rejeita caia em si, arrependa-se sinceramente e faça um reconhecimento público do velho amor perdido. Mas o problema é de tempo; ou seja, quando?

O princípio do realismo afetivo

Conheço gente que demorou anos para descobrir o afeto, mas já era tarde demais (recordemos o mordomo de *Vestígios do dia*, personificado no cinema por Anthony Hopkins). Mais de um solteirão, no silêncio da mais profunda orfandade afetiva, amaldiçoa o fato de ter apostado a vida em uma única carta, em um sonho interminável, e, no fim, acabar levando bolo.

Quanto se deve esperar? Semanas, meses, anos? A demora se justifica? Não é melhor oxigenar a vida com alguém que não precise de retiros espirituais e ausências distantes para reconhecer que somos pessoas passíveis de ser amadas? Apesar de o senso comum afirmar que só valorizamos as coisas depois que as perdemos, sob meu ponto de vista, e referindo-me exclusivamente a uma questão de respeito pessoal, o simples fato de que tenham que "me perder" para "me valorizar" é ofensivo, além de muito irritante.

Se você é uma dessas pessoas à espera de avaliação para ver se passou no exame para companheiro, lembre-se de que você não é um objeto de compra e venda. Avaliação afetiva é sempre insultante. Mas, se o que eu disse não lhe convenceu, talvez as estatísticas consigam fazê-lo acordar: *quem hesita afetivamente uma vez, volta a hesitar*. Pode haver mais exames. É melhor não viver pisando em ovos. *Se a pessoa não o ama hoje, não o ama.*

NÃO SE RESIGNAR À PERDA (2): PERSISTIR OBSTINADAMENTE EM RECUPERAR UM AMOR PERDIDO

Não se dar por vencido e lutar até a morte é recomendável em muitos aspectos da vida, mas, quando se trata de amores difíceis ou impossíveis, é melhor questionar esse conselho. Em determinadas circunstâncias, aprender a perder e se retirar oportunamente pode ser a melhor escolha. Quando a perseverança se transforma em obstinação, a virtude cede passagem à imaturidade.

13. "Deus vai me ajudar", "Fui a uma cartomante" ou "Fiz meu mapa astral"

Quando as táticas de recuperação mágico-religiosas se ativam, a coisa está grave: o desespero chegou ao fundo do poço.

Uma paciente minha era especialista em ocultismo afetivo. Como sua relação estava sempre por um fio (o marido a havia traído quinze vezes em doze anos de casamento), ela decidiu entrar no mundo da Nova Era e dos santos para manter o vínculo e esperar o "milagre" de que o homem sossegasse. A quantidade de sortilégios, orações e oráculos era impressionante: velas coloridas, grupos de oração, oferendas, promessas, mapas astrais, quiromancia, tarô, regressões e videntes de todo tipo haviam contribuído para a sobrevivência afetiva da pobre mulher angustiada. Segundo os dados reunidos pelos especialistas, parecia se tratar de "um excepcional caso de almas gêmeas, sendo que uma se desajustara por motivos *cármicos*" (ou seja, ninguém tinha ideia do que estava acontecendo). Obviamente, o homem, alheio a todo desígnio cósmico, continuava arrasando corações, sem restrições nem considerações. Há pouco tempo, depois de uma ressaca monumental e de um arroubo de arrependimento pós-porre, surgiu uma nova luz de esperança: o homem prometeu tomar juízo. E, ao voltar de uma viagem, ele trouxe um perfume de presente para ela (coisa que nunca havia feito), com um lindo cartão em que jurava de pés juntos, mais uma vez, ser fiel até a morte. Ela correu para sua assessora espiritual (especialista em tarô) para reforçar a mudança e colocou velas na capela inteira. Dois dias depois, a intuição (melhor seria dizer o costume) de mulher traída a fez vasculhar a fundo o carro do marido, palmo a palmo, como fazem as pessoas ciumentas inteligentes. O resultado da busca, infelizmente, foi positivo. Atrás do banco, camuflado e embrulhado, ela encontrou o corpo de delito: o mesmo perfume, com um cartão diferente para outra destinatária. Depois de um escândalo gigantesco, arranhões, insultos, objetos quebrados e a negação persistente e reiterada do acusado, ela decidiu pôr um ponto-final e resolver o problema de uma vez por todas. Dispensou a conselheira (agora ela consulta uma colombiana que lê tabaco e é "muito certeira") e recorreu a um novo santo (não lembro o nome), porque o anterior não demonstrava "interesse". Definitivamente, as aparências enganam. Relegar a solução para quem está de fora é cômodo, mas também arriscado, porque desvia nossa atenção da realidade e nos torna cada vez mais incompetentes. É possível que minha paciente fique indo de adivinho em adivinho pelo resto de seus dias, buscando o prodígio de uma ressurreição impossível de alcançar.

14. "Tentarei novas estratégias de sedução"

Em oposição ao esquema anterior, este pensamento implica trazer o problema para dentro, mas dentro demais: "A pessoa que amo não está comigo porque eu não soube segurá-la; se melhorar minhas habilidades de conquista, conseguirei recuperá-la". Infelizmente, não é fácil conseguir a restituição afetiva. Pode parecer óbvio, mas, para que a reconquista afetiva possa acontecer, deve haver alguém disposto a ser conquistado. O amor não é como a guerra ou a tomada do poder (o amor perdido não se recupera mediante o assédio e a perseguição obsessiva). Nas lidas afetivas, a conquista obrigatória recebe o nome de violação. Se o outro está em um estado de desamor agudo, é melhor não fazer nada e deixar que a mudança siga seu curso. Mas os apegados costumam entrar em pânico e se comportar de maneira irracional. Uma mulher de 50 anos decidiu fazer uma cirurgia para estreitar o canal vaginal, com a esperança de recuperar o amor de seu marido. Um homem, que agora está na cadeia, roubou várias pessoas para se mostrar financeiramente bem-sucedido diante de sua ex-mulher e retomar o casamento. Perfumar-se, vestir-se melhor, emagrecer, arrumar um emprego melhor, encher-se de silicone, dar uma de sedutor ou de Mata Hari podem ser ingredientes úteis quando o amor está vivo, mas essas atitudes não têm a força necessária para reativar um afeto em bancarrota.

A recuperação da pessoa perdida, caso seja possível, não se consegue com duas ou três mudanças superficiais de comportamento. As relações afetivas obedecem a uma história particular, especial e não reproduzível, que determina sua essência básica e um perfil interpessoal único. Desconhecer essa evolução pode levar a atitudes que não ajudam nem um pouco a fortalecer o vínculo.

Se quiser tentar um plano de reconquista, não seja leviano. Primeiro, saiba muito bem as causas da ruptura, o diagnóstico, o motivo de não ter dado certo, para ver se você tem chances de atingir o objetivo. Não crie falsas expectativas: *quando uma relação não vai bem, o remédio costuma ser complexo e difícil de aplicar.* As "compressas de água morna" podem aplacar o mal-estar, mas não eliminam a infeção.

15. "Meu amor e minha compreensão o curarão"

Quando nos tornamos redentores, conselheiros ou psicólogos da pessoa amada, distorcemos a essência do amor. Conheço gente (especialmente mulheres) cujo objetivo afetivo é redimir o pecador ou curar o doente. Infelizmente, e sem querer parecer pessimista, a experiência mostra que o suposto poder de cura do amor a dois deixa bastante a desejar. Ao contrário, o amor mal dosado (às vezes chamado de incondicional) pode produzir ganhos secundários e reforçar justamente o comportamento que se pretende mudar. Por exemplo, querer curar um infiel crônico dando-lhe amor a granel e sendo tolerante com suas traições é uma atitude inocente com traços de cumplicidade. Da mesma forma, pretender que um alcoólatra controle sua dependência exclusivamente mediante afeto indiscriminado é quase impossível. Quem frequenta o AA sabe melhor que ninguém que o amor por si só não é suficiente para modificar uma conduta viciada.

Algumas pessoas com vocação para mártir decidem "adotar" o companheiro e assumir para si a responsabilidade pela reparação de todos os seus males. Armadas apenas de um amor brioso e transbordante de otimismo, empreendem a reabilitação do ser amado: "Meu amor o fará mudar", "Quando se sentir amado, ele perceberá seus erros" ou "O amor tudo pode" (algo assim como o "Clube de Curadores Afetivos").

Mesmo que os românticos entrem em crise e o idealismo amoroso se quebre em pedaços, o realismo afetivo é imprescindível para poder desapegar. Ninguém nega que o amor é o principal motor da relação a dois; o que estou afirmando é que de jeito nenhum é suficiente *per se* para que uma relação prospere. O sentimento afetivo em estado puro não basta para cumular as expectativas de uma boa convivência, nem para que a pessoa amada se cure ou mude de ideia. *O amor não é tão poderoso.*

Não se resignar à perda (3):
afastar-se, mas não totalmente

Nos dilemas afetivos, as pessoas apegadas não querem perder nenhum benefício. Não importa quão doentia seja a relação, o fundamental é conservar a pessoa amada, mesmo que aos pedaços. O medo de ficar sem afeto as leva a estabelecer metas incompletas, postergações e remédios insuficientes.

16. "Vou deixá-lo pouco a pouco"

A não ser que se trate de um paciente internado e sob controle médico direto, afastar-se paulatinamente da fonte de dependência não é a estratégia mais recomendada. Ouvir "Vou consumir cada dia menos crack" pode ser risível para quem sabe do assunto. Não se quebra a dependência lentamente. Pode haver retrocessos, avanços e recaídas, mas a luta é até a morte. Para uma pessoa com predisposição à dependência, não há meio-termo. Um gole, uma cheirada ou o mínimo consumo pode ser definitivo para que a obscura porta do vício torne a se abrir. "Vou deixar a pessoa que amo porque não me faz bem, mas pouco a pouco" é como dizer que vou cheirar menos. É um típico autoengano. Na realida-

O princípio do realismo afetivo

de, o que queremos é prolongar a permanência do estimulante afetivo.

Uma paciente minha tinha uma vida dupla. Havia quatro anos namorava um rapaz que lhe propiciava tranquilidade, estabilidade e fidelidade, e tinha um amigo amante havia três, que lhe oferecia emoção, luxúria e energia em proporções avassaladoras. Sua razão determinava um caminho: afastar-se do amigo porque ia se casar com o namorado. Sua emotividade indicava outro: terminar com o namorado tedioso e entrar em um delicioso curto-circuito aberto com o amigo. Ambos puxavam a sardinha para seu lado e a pressionavam: "Vamos nos casar" e "deixe-o". O que ela realmente pretendia era resgatar o melhor de cada um sem perder nenhum dos dois.

A situação se tornou insustentável. Levar uma vida dupla não só era extenuante como também estava começando a comprometer sua moralidade. A culpa não a deixava em paz e a ansiedade a estava matando. Depois de analisar as opções com sensatez, ela decidiu deixar o amigo, diminuir as RPMs e ficar com a segurança que o namorado lhe oferecia. No entanto, sua escolha ainda não estava garantida: "Vamos estabelecer uma meta de dois meses, doutor… Acho que será mais fácil ir devagar…". Introduzir o desamor passo a passo é como enfiar a agulha de uma seringa lentamente para que doa menos.

Como é óbvio, ela não conseguiu; cada "minidistanciamento" a levava a se aproximar mais. Cada encontro era uma meia despedida, um ato inconcluso que tinha que ser retomado, um pretexto para continuar. Depois de dois meses de penosas tentativas, ela me disse que havia pensado melhor e que ia deixar o namorado. Sua proposta não me surpreendeu muito: "Vamos determinar uma meta de dois meses, doutor... Acho que vai ser melhor... Não quero que ele sofra...". No momento em que escrevo este relato, já faz quatro meses que terminou com o namorado, e, às vezes, quando chega a saudade do que poderia ter sido, ela reconhece que o amigo, apesar de tudo, não atende totalmente a suas expectativas. Presa sem saída.

17. "Seremos só amigos"

Quando uma relação acaba, é praticamente impossível ser amigo da pessoa que ainda amamos. Quem defende o contrário não sabe do que está falando. Uma mocinha que estava havia várias semanas com depressão porque seu namorado a deixara ainda queria estar vinculada ao rapaz de alguma maneira: "Eu sei que ele não me ama e que tem uma nova namorada... Mas seremos só amigos, amigos e nada mais... Embora ele tenha outra pessoa e não me ame, não importa... Quero continuar perto de alguma maneira... Não suporto a ideia de ele não estar mais em minha vida...". Como é comum nos casos de teimosia afetiva, o novo vínculo de "amizade" transformou-se uma tortura chinesa. Ao se tornar uma boa amiga, ela começou a representar o papel de confidente. Não só tinha que aguentar vê-lo com outra como também tinha que ouvir as intimidades afetivas deles e apoiá-lo em decisões que o afastavam cada dia mais de uma possível reconciliação. Com o passar das semanas, a angústia foi ficando cada vez mais insuportável. Ter a droga e não poder consumi-la era penoso. Vê-lo, falar com ele e desejá-lo em silêncio a levaram, em um momento de desespero e incapacidade, a atentar contra sua vida – felizmente, sem sucesso. Depois de passar alguns dias em uma clínica psiquiátrica, ela me disse antes de sair: "Vou lutar contra isso... cansei de sofrer... Não quero mais saber dele... Nada justifica uma vida assim... Quando há amor, a amizade fica incluída, mas quando não pode haver mais que amizade, o amor vira um problema... Não quero tê-lo como amigo... Não consigo...".

Para sobreviver à perda, alguns dependentes afetivos inventam um engendro amoroso que não é nem uma coisa nem outra: o "amigo colorido", uma mistura de amigo promovido e namorado rebaixado com direito a contato físico. Não tardarão a surgir variações do mesmo tema. É possível que comecemos a ver "esporidos" (maridos que parecem namorados), "amantosas" (uma mistura de amante, esposa e ventosa) e outros experimentos afetivos que permitam manter a ilusão de um encanto que já não existe.

18. "Seremos só amantes"

Um amante apaixonado é um amante fora de lugar. Os jogos de prazer, os momentos descontraídos, a paixão fluida e alegre que devem caracterizar os bons amantes, com a dependência, transformam-se em um emaranhado afetivo, um nó górdio, e cada tentativa de desfazê-lo o torna mais forte. Um amante bem concebido é como uma casinha em um bosque de pinheiros: com cervos, flores, águas claras e raios de sol atravessando as enormes copas das árvores. É um conto de fadas com sexo, afinidade e descomplicação. Mas a cabana de madeira não tem laje; não permite construir outro andar nem nada geminado. E se alguém tentar sobrecarregá-la, cairá por seu próprio peso.

Tornarmo-nos amantes da pessoa amada com a desculpa de não nos afastarmos totalmente é a pior decisão que existe. Não apenas impedimos a elaboração do luto como também perpetuamos o sofrimento por tempo indeterminado. E se a relação era muito ruim ou pouco conveniente, pior, porque desperdiçamos uma boa oportunidade de terminar de uma vez por todas com a tortura de estar mal acompanhado.

A MODO DE CONCLUSÃO

Como você pôde ver, a mente apegada utiliza uma infinidade de subterfúgios e enganos para tentar salvar o amor perdido. Não importa quão inconveniente ou prejudicial seja, a dependência afetiva não mede consequências. É cega por natureza.

Se você está em uma relação doentia e tem medo de terminar, ou perdeu a pessoa que ama e não consegue aceitar isso, é provável que utilize um desses 18 pensamentos perturbadores indicados. Todos obedecem à mesma necessidade: *reter a fonte de apego mediante o autoengano.*

O princípio do realismo não pede muito, porque não há muito que aprender, e sim que desaprender. Apenas tente ficar quieto e observar a realidade afetiva em que está imerso. Se conseguir observar as coisas como realmente são, deixando as distorções e as mentiras de lado, seus esquemas irracionais começarão a cambalear. Mesmo que sua alma doa e seu organismo entre em crise de abstinência, não há outro caminho. A libertação afetiva e a ruptura dos velhos padrões de dependência não toleram anestesia, porque as grandes revoluções sempre exigem atenção total. Além do mais, como dizia Khalil Gibran: "Se não se quebrar, como meu coração se abrirá?".

O princípio do autorrespeito e da dignidade pessoal

Dizer que o "apego corrompe" significa que sob a avassaladora urgência afetiva somos capazes de atentar contra nossa própria dignidade pessoal. Nesses momentos urgentes, nem a moral nem os valores mais apreciados parecem ser suficientes para conter a avalanche. Tudo voa pelos ares. Vendemos o que não está à venda, negociamos com o respeito e nos arrastamos além do imaginável só para conseguir a dose afetiva de que precisamos.

Umberto Eco dizia que a ética começa quando os outros entram em cena. Isso é verdade. Mas a ética sempre inclui autoestima. A moral implica não fazer aos outros o que eu não gostaria que me fizessem, ou desejar aos outros o que anseio para mim. "Ama a teu próximo como a ti mesmo" diz tudo. Ou seja, de uma maneira ou outra, sempre estou incluído. Se eu não me amo, não posso amar nem respeitar os outros.

Como afirma Maturana: "Na infância, a criança vive o mundo com a possibilidade de se tornar um ser capaz de aceitar e respeitar o outro desde a aceitação e o respeito de si mesmo". E mais adiante, conclui: "E se a criança não pode se aceitar e se respeitar, não pode aceitar nem respeitar o outro. Ela temerá, invejará ou desprezará o outro, mas não o aceitará nem respeitará; e, sem aceitação nem respeito pelo outro como um legítimo outro na convivência, não há fenômeno social".

O princípio do autorrespeito e da dignidade tenta definir os limites da soberania pessoal. O reduto último, onde os princípios e os valores me definem como humano. O que não é negociável. Quando esses pontos estão claros, tornamo-nos invencíveis porque sabemos quando lutar e quando não.

A RECIPROCIDADE DO AMOR

A ideia de um amor universal, indiscriminado e impessoal, que transcende fronteiras e se apodera dos casais, parece-me uma importação oriental ruim. Uma translação mecânica demais e alheia ao que somos de verdade: humanos alvoroçados, coléricos até os ossos, intensos e febris. Krishnamurti dizia que é mais fácil amar a Deus que a um ser humano. Parece que é porque com Deus vivemos, mas não convivemos. A pessoa que amamos tem nome e sobrenome, CPF e RG; além do mais, come, dorme, reclama, fala, exige, abraça, chora; enfim, não é corpo glorioso: está viva.

Os vínculos afetivos que estabelecemos com outros humanos são sempre personalizados. Não queremos os joãos ou marias desconhecidos do universo conhecido, e sim esse João ou essa Maria em especial. Não há dois "Joãos" ou duas "Marias" iguais. Nós nos apaixonamos pelo idiossincrático, pela existência particularizada desse ser único, não passível de clonagem e irreproduzível. Eu me apaixono por uma singularidade, não por um monte de átomos. Se o contato entre dois indivíduos que se amam é a escala quântica, estelar ou intergaláctica, não importa muito: *a fusão afetiva não é nuclear, e sim de pele, "dessa" pele com "esta" pele.* Talvez Molière tenha tido razão quando dizia: "Amar todo o mundo é amar nada".

O amor cotidiano é de ida e volta. Certa vez, escutei um conselheiro bioenergético dizer a uma jovem, casada com um abusivo crônico que batia nela, que a solução era oferecer "amor impessoal" em quantidade. Repetidamente, com certo ar de orgulho messiânico, ele exprimia a inexorável sentença: "Entregue-lhe amor impessoal e verá como ele muda". Depois de um mês aplicando essa estratégia, o marido quase acabou com ela e a moça teve que recorrer à Delegacia de Defesa da Mulher.

No amor universal não há setor de reclamações, porque não há com quem nem com quê. A maioria dos grandes mestres espirituais transcendidos, para não dizer todos, é solteira e casta, não trabalha em nenhuma empresa e quase sempre é beneficiária de algum mecenas. Mais de um deles veria sua lâmpada da iluminação se apagar se tivesse que criar filhos e administrar o cheque especial.

Os laços afetivos sempre podem ser melhorados e aperfeiçoados, mas partindo do que realmente somos, do amor habitual, contaminado e terreno que se vive no dia a dia. Diminuir o "superamor" cósmico/universal e enfiá-lo sob pressão nas relações de carne e osso é ingênuo, além de prejudicial. Os bons relacionamentos não vêm de fábrica. É preciso poli-los na lida diária desta vida, à base de suor, esforço e, muitas vezes, lágrimas.

Enquanto o amor universal não requer nada em troca, o amor interpessoal precisa de correspondência. Para que uma relação afetiva seja gratificante, deve haver reciprocidade, ou seja, intercâmbio equilibrado. *O amor recíproco é aquele no qual o bem-estar não é privilégio de uma das partes, e sim de ambas.*

Fernando Savater considera a reciprocidade um dos princípios universais éticos. Em suas palavras: "Todo valor ético estabelece uma obrigação e demanda – sem imposição, em geral – uma correspondência. Não é forçosa a simetria, mas, sim, a correlação entre deveres e direitos".

O princípio do autorrespeito e da dignidade pessoal

É impossível conviver de maneira saudável sem um equilíbrio entre o "dar" e o "receber". Se uma das partes não é boa em dar, mas gosta de receber afeto, é provável que estejamos diante de um mesquinho afetivo ou de um narcisista em potencial. Ao contrário, quando a pessoa entrega o tempo todo e não julga merecer afeto, temos a submissão presente. Para que a relação amorosa funcione, não deve haver desequilíbrios muito acentuados.

Se formos sinceros no corpo a corpo, na intimidade afetiva, sob os lençóis, nas brigas, nas conquistas pessoais e em cada espaço de convivência compartilhada, sempre esperamos alguma equivalência afetiva. Não digo que é preciso ser milimétrico e manter uma contabilidade cerrada. O que afirmo é que a desigualdade do intercâmbio acaba destruindo qualquer vínculo. Se dou dez, eu me conformo com um oito. E se o amor me permitisse, até um sete estaria bom, mas, com menos recompensa, eu começaria a me preocupar. Eu jamais poderia me contentar com uma relação que não atendesse, pelo menos em parte, a minhas expectativas afetivas. Repito: a ideia não é se apegar a coisas ridículas que são supérfluas e desimportantes, e sim discriminar quando se justifica e quando não. Ou seja, escolher o que realmente importa.

Estando em plena reconciliação depois de uma separação, a esposa de um paciente meu se recusou a preparar o café da manhã para o marido porque o pacto que tinham era "um dia cada um", e esse não era o dia dela. Quando ele lhe pediu o favor porque não havia conseguido dormir direito, a mulher resmungou, bradou lemas feministas e criticou duramente a falta de seriedade de seu marido cansado perante os acordos pactuados. Uma nazista de saia, rígida e intransigente. Isso não é reciprocidade, e sim mesquinharia obsessiva e malquerença.

Ao contrário, em certos casos o intercâmbio precisa sim ser nivelado. Lembro o caso de um homem insatisfeito sexualmente, casado com uma mulher anorgásmica e absolutamente fria. Ela nunca conseguiu aceitar o problema. Recusava-se a pedir ajuda profissional e menosprezava as necessidades sexuais do marido por considerá-las "grosserias masculinas" (vale a pena apontar que, nos últimos seis meses, haviam tido apenas quatro relações sexuais). O argumento dela beirava a obstinação: "Eu posso viver sem sexo... Não me faz falta... Para mim, há coisas mais importantes que fazer amor... Por que eu tenho que ceder? Por que ele não pode se adaptar a mim?". Diante da persistente negativa dela, o homem decidiu se separar: "Preciso sentir que a mulher que está ao meu lado me deseja... Quero vê-la feliz em meus braços e que se entregue a mim, não só de espírito mas também de corpo... Se dou sexo e não recebo, fico com a desagradável sensação de não a fazer sexualmente feliz... Eu gosto quando ela gosta... Não consigo, não posso negociar sobre isso".

Quando se trata de aspectos essenciais, receber se transforma em uma questão de direitos, e não em um culto ao ego. Há coisas primordiais às quais não podemos renunciar porque são imprescindíveis para a sobrevivência psicológica; e, embora não as tornemos explícitas, damos por certo que devem existir para que a relação afetiva siga seu curso. Se sou fiel, espero fidelidade; se sou honesto, espero honestidade; se sou carinhoso, espero ternura. Se não for assim, não me interessa.

Quem me machuca não me merece

Merecer significa "ser digno de". Expressões como: "Eu entendo", "Eu aceito", "Eu curto", "Fico feliz" ou "Seu amor é um presente" são manifestações de aceitação e boa recepção. Se uma pessoa não aprecia o que lhe dou, não o compreende ou não o traduz, o amor se desfaz no caminho, não acerta o alvo e desaparece. Um amor que não chega é um desperdício energético de grandes proporções. Podemos entender isso do seguinte modo: "Não posso amar a quem não me ama. Não faz sentido me entregar a alguém que não quer estar comigo. Se não me ama, não me respeita ou se me subestima, não me merece como companheiro".

Contam que uma bela princesa estava buscando consorte. Homens aristocratas e ricos haviam chegado de todas as partes para oferecer seus maravilhosos presentes. Joias, terras, exércitos e tronos eram os agrados para conquistar a tão especial criatura. Entre os candidatos, encontrava-se um jovem plebeu que não tinha mais riquezas que amor e perseverança. Quando chegou sua hora de falar, disse: "Princesa, eu a amei toda minha vida. Como sou um homem pobre e não tenho tesouros para lhe dar, ofereço meu sacrifício como prova de amor... Ficarei cem dias sentado sob sua janela, sem mais alimento que a chuva e sem mais roupas que as que visto hoje... Esse é meu dote...". A princesa, comovida diante de tal gesto de amor, decidiu aceitar: "Terá sua oportunidade: se passar na prova, você me desposará". Assim, passaram-se as horas e os dias. O pretendente ficou sentado, suportando os ventos, a neve e as noites geladas. Sem pestanejar, com a vista fixa na sacada de sua amada, o valente vassalo continuou firme em seu empenho, sem desfalecer nem por um momento. De vez em quando, a cortina da janela real deixava transparecer a esbelta figura da princesa, que com um nobre gesto e um sorriso aprovava o esforço. Tudo ia às mil maravilhas. Alguns otimistas haviam inclusive começado a planejar os festejos. Ao chegar o nonagésimo nono dia, o povo da região foi animar o futuro monarca. Tudo era alegria e festa,

O princípio do autorrespeito e da dignidade pessoal

até que, de repente, quando faltava uma hora para encerrar-se o prazo, diante do olhar atônito dos presentes e da perplexidade da infanta, o jovem se levantou e, sem dar explicação alguma, afastou-se lentamente dali. Semanas depois, enquanto seguia por um caminho solitário, uma criança da comarca o alcançou e lhe perguntou à queima-roupa: "O que foi que aconteceu? Você estava a um passo de atingir a meta... Por que perdeu essa oportunidade? Por que se retirou?". Com profunda consternação e algumas lágrimas mal disfarçadas, ele respondeu em voz baixa: "Ela não me poupou nem um dia de sofrimento... Nem sequer uma hora... Não merecia meu amor...".

O merecimento nem sempre é egolatria, e sim dignidade. Quando damos o melhor de nós mesmos para outra pessoa, quando decidimos compartilhar a vida, quando abrimos nosso coração de par em par e despimos a alma até o último recanto, quando perdemos a vergonha, quando os segredos deixam de sê-lo, merecemos pelo menos compreensão. O fato de menosprezar, ignorar ou desconhecer friamente o amor que damos a mancheias é desconsideração, ou, no mínimo, leviandade. Quando amamos alguém que, além de não nos corresponder, despreza nosso amor e nos machuca, estamos no lugar errado. Essa pessoa não é merecedora do afeto que lhe oferecemos. A coisa é clara: se não me sinto bem recebido em algum lugar, dou meia-

-volta e vou embora. Ninguém ficaria tentando agradar e se desculpando por não ser como outra pessoa gostaria que fosse.

Não tem jeito. *Em qualquer relação a dois que você tenha, quem não o ame e, menos ainda, quem o machuque, não o merece. E se alguém o machucar reiteradamente "sem má intenção", talvez o mereça, mas não lhe convém.*

Humilhar-se jamais

Submeter-se por amor pode gerar dividendos no curto prazo, mas, com o tempo, a pessoa que se rebaixa acaba irritando. É muito difícil amar alguém que se subjuga para obter afeto. Um amor indigno é uma forma de escravidão. E os donos nunca amam seus escravos; exploram-nos ou se compadecem deles.

Quando a relação começa a dar sinais de desgaste, a estratégia mais utilizada pelos dependentes afetivos é a humilhação. As táticas variam segundo o grau de deterioração pessoal; mas, em geral, quanto maior o apego, mais intenso será o emprego de comportamentos humilhantes.

Uma primeira categoria é constituída pelas *demandas indecorosas ou perguntas indevidas*. O que basicamente acontece aqui é pedir afeto e atenção sem pudor algum:

O princípio do autorrespeito e da dignidade pessoal

"Ame-me", "Lembre-se de meu aniversário", "Não se esqueça de que tem que fazer amor comigo", "Você tem que me acariciar de vez em quando" etc. Na vida a dois, certas coisas não se pedem, devem surgir natural e espontaneamente. Se isso não ocorre, acende-se o alerta vermelho. Por mais música e boas intenções que ponhamos, exigir afeto sempre deixa uma sensação de mal-estar na boca do estômago, que depois se transforma em indignação e muitas vezes em depressão. Exercer o direito à reciprocidade não é a mesma coisa que implorar amor. Um nos enriquece, o outro nos envergonha.

Uma segunda forma de humilhação são os *comportamentos degradantes e manipuladores*. Os mais comuns são suplicar, ajoelhar-se, chorar, gritar, automutilar-se e tentar suicídio. Obviamente, esses comportamentos costumam ser muito impactantes aos olhos de qualquer observador. Uma mulher não conseguia se separar do marido porque, cada vez que tentava falar do assunto, ele entrava em crise. O ataque histérico tomava dois rumos: ou ele fazia um escândalo monumental no edifício, ou no dia seguinte aparecia no trabalho dela e, na frente dos clientes e colegas, suplicava de joelhos que ela não o deixasse. O impacto era tanto que inclusive algumas das melhores amigas da mulher se compadeciam e apoiavam o desajustado. Em outro caso de desenlace trágico, uma menina de 22 anos, extremamente ciumenta, ameaçava constantemente se matar se seu namorado tentasse abandoná-la. Certa vez, ela tentou se jogar de um carro em movimento, e em várias situações havia tentado se jogar pela janela. Infelizmente, um dia, cega de ciúmes, calculou mal e caiu no vazio. Quando esse tipo de comportamento ocorre, o sujeito já está fora de controle e não é capaz de medir as consequências.

A terceira tem a ver com *se deixar explorar*. Quando a pessoa aceita, sem reclamar, que se aproveitem dela, como uma forma de assegurar sua fonte de apego, ela já adentrou os lodosos terrenos da prostituição. Nesse tipo de relação, o usufruto nem sempre deve estar relacionado com dinheiro. Um viúvo de 60 anos havia adotado o papel de motorista com sua nova namorada, os filhos dela e sua futura sogra. Esse papel quase não lhe deixava tempo para suas obrigações, mas ele não era capaz de recusar. Com o tempo, a família também foi lhe atribuindo tarefas de mensageiro, que ele acabou assumindo com resignada vocação de mártir. Para piorar, quando ele se atrasava ou falhava em alguma diligência, a bronca não se fazia esperar. Em uma consulta, ele me confessou seu medo: "Não suporto a solidão... Não sou mais tão jovem... Eu sei que às vezes eles se aproveitam de mim, mas não me importa... Uma coisa compensa a outra... Não sei o que eu faria se ela me deixasse". A armadilha era fatal e altamente masoquista: quanto mais o usavam, mais dependente ele se tornava.

O princípio do autorrespeito e da dignidade pessoal

Uma forma muito comum de humilhação, e especialmente dolorosa, que poderia ser considerada uma variação da anterior é *aceitar os maus-tratos com estoicismo*. Os pensamentos servis que se escondem por trás desse tipo de submissão costumam ser dois: "Se me castigam, é porque eu mereço" ou "Se não me queixar e aguentar estoicamente, ela nunca me abandonará". Em geral, essas pessoas foram vítimas de uma lavagem cerebral sistemática por parte do parceiro. Se o dependente afetivo tem o azar de cair nas mãos de alguém mal-intencionado, qualquer rastro de vontade própria pode se acabar. Como se fizesse parte de uma seita, em pouco tempo o apegado aceita qualquer coisa e se entrega como um cordeiro ao matadouro. Inclusive, já vi pessoas dependentes que se sentem honradas por suportar maus-tratos. Reverenciar o verdugo é a máxima expressão de obediência servil. Para esses indivíduos, o autoengano é, provavelmente, a melhor maneira de sobreviver a um conflito afetivo sem saída. Alguns subjugados sentem orgulho disso. Libertá-los é impossível. Parafraseando Sêneca: "Não há escravidão mais vergonhosa que a voluntária".

Uma quinta maneira de se subjugar e cair no desdém é *desvirtuar a própria essência para satisfazer ao outro*. Agradar à pessoa amada é um dos prazeres mais gostosos e excitantes. Satisfazer, mimar e colaborar com o bem-estar do outro faz parte da convivência próspera. De fato, sem reforçadores, o amor se sente, mas não se vê; ou seja, não basta. No entanto, esse "dar" aos borbotões deve ter um limite autoimposto: não devo atentar contra mim mesmo só para que meu companheiro seja feliz. Uma mulher casada havia pouco tempo, muito apegada a seu parceiro, rapidamente se adaptara às "preferências" sexuais do marido. Drogas estimulantes de todo tipo, sexo a três, a quatro, jogos sádicos, prostituição, pornografia violenta, enfim, um repertório que faria o próprio Marquês de Sade parecer ingênuo. A jovem recebera uma educação formal tradicional, e em seus 22 anos não havia tido oportunidade de experimentar muita coisa. Porém, o medo de não ser apta e decepcionar o marido fazia com que ela se entregasse a práticas que não curtia nem aceitava moralmente. Ela não fora feita para essa vida. Quando eu lhe disse que fosse assertiva e manifestasse seu desacordo, ela não conseguiu. Foi a mais duas ou três consultas e eu nunca mais soube dela. Ainda hoje, quando por alguma razão enfrento o tema de abuso e violência sexual, seu rosto tímido e assustado me vem, inexoravelmente, à memória. O apego pode afetar tendências sexuais, posições políticas, sensibilidade social e até a mais arraigada crença moral ou religiosa.

A sexta forma de submissão é a mais sutil e utilizada. Consiste simplesmente em *não expressar os próprios gostos e necessidades*. Um silêncio afetado e dissimulado, que agrada à outra parte e, de quebra, segura-a. Não se nota a humilhação, e a manipulação é encoberta: "Se eu me deixar levar, ele nunca me deixará". Aos olhos de qualquer observador desprevenido, o casal é modelo de perfeição. As coincidências surpreendem e a congruência é incrível. Mas, na realidade, o dependente se submete aos gostos do outro: "O que você quiser, meu amor" ou "O que você disser está bem para mim". O amor bem administrado. Uma sujeição sagaz, que garante a permanência do doador afetivo e seus respectivos benefícios.

Por último, existe uma forma truculenta de manter indignamente a pessoa amada: *dividi-la com outro*. A canção de Pablo Milanés, "El breve espacio en que no estás", mostra essa faceta do apego em plena efervescência: "La prefiero compartida, antes que vaciar mi vida" [prefiro dividi-la a esvaziar minha vida]. Desastroso e lamentável. A maioria dos dependentes afetivos cujo parceiro é infiel acaba aceitando resignadamente o fato. Conheço um homem com um transtorno de personalidade por dependência que há três anos espera que sua mulher deixe o amante. Ela lhe conta tudo, e ele lhe é grato pela honestidade. Recentemente, os três foram passar o fim de semana em uma chácara. Quando o homem me perguntou o que fazer, eu me senti tentado a lhe oferecer a típica solução siciliana (morder a falange do próprio dedo indicador, erguê-la pelo traseiro e jogá-la pela janela), mas optei por um conselho mais profissional: "Você não está se respeitando... Essa situação o está violentando demais... Se sua mulher realmente se interessasse por seu bem-estar, não o submeteria a essa tortura... Ela já teria tomado uma decisão... Sem perceber, você se tornou cúmplice, porque está renunciando a seus princípios e a sua honra... Fazem sentido toda essa dor e essa angústia?... Enquanto não perder o medo da solidão, você sempre será uma extensão de sua mulher... Deixe-a, afaste-se... Vença sua dependência e você será um homem livre...". Depois de alguns meses, ele conseguiu escapar do calvário, mas levou a dependência consigo. Uma ex-namorada, recém-separada, mais pudica e querida, apareceu e o resgatou. Um prego tirou o outro.

Eliminar toda forma de autopunição

Quando uma relação vai mal das pernas, nunca há um só responsável. A hecatombe afetiva sempre é função de dois; talvez não nas mesmas proporções, mas cada um entra com sua parte: uns por falta, e outros por excesso.

No caso do apego afetivo, quando o vínculo se quebra, o apegado costuma ativar sua mais dura autocrítica. De uma forma inclemente, como se gostasse de sofrer, ele acrescenta mais dor ao sofrimento. Durante trinta anos de casamento, uma senhora havia cuidado de seu marido à moda antiga. Entre suas obrigações estavam tirar-lhe os sapatos quando ele chegava do trabalho, escolher a roupa dele pela manhã, cortar suas unhas dos pés e das mãos, tingir seu bigode, ensaboar suas costas, cortar seu cabelo, dar-lhe recados e atender-lhe no que fosse necessário: uma moderna gueixa à moda antiga. O problema era que o sujeito havia arranjado uma amiguinha e passado sua devota esposa para um frio e distante segundo lugar. O que mais doía nela era como ele fizera isso: "Não me importa tanto o fato de ele me trair, mas o desprezo... (pranto)... Ele é totalmente indiferente comigo, quase não fala comigo e foi para outro quarto... (pranto)... Não sei por que me rejeita... Eu tenho sido muito boa esposa...". Quando lhe perguntei se não sentia indignação, raiva ou vontade de estrangulá-lo, ela respondeu que seu sentimento não era de ira, e sim de pesar e culpa: "Ontem soube que ele marcou hora para cortar o cabelo... Não sei, eu me sinto culpada por ele ter que ir ao barbeiro... Faz muitos anos que corto o cabelo dele... Não acha que eu deveria continuar cortando apesar de tudo?". Sentir-se culpada por não continuar sendo submissa é culpa ao quadrado.

Um recorde e um excelente exemplo de como não se deve agir para preservar o autorrespeito. A pobre mulher estava tão acostumada a ceder que, quando foi traída, sentiu-se traidora.

Outro paciente meu, ao saber que sua mulher já não o amava, começou a se castigar verbalmente. Seus registros mostravam uma infinidade de verbalizações negativas contra si mesmo: "Sou um idiota", "Ninguém pode me amar", "Se eu fosse mais carinhoso, ela não teria deixado de me amar", "Sou um incompetente no amor", enfim, centenas de acusações diárias, em voz baixa, recicláveis e altamente nocivas. O resultado foi inevitável: depressão e clínica de repouso.

Os dois pensamentos mais comuns que acompanham o abandono do apegado são: "Se a pessoa que amo não me ama, não mereço o amor" ou "Se a pessoa que diz me amar me deixa, definitivamente não posso ser amado". A consequência dessa maneira de pensar é nefasta. O comportamento se adapta à distorção e o sujeito tenta confirmar, mediante diversas sanções, que não merece o amor. Vejamos quatro formas típicas de autopunição:

a) *Estancamento motivacional*: "Não mereço ser feliz, então, elimino de minha vida tudo que me dê prazer" (autopunição motivacional).

b) *Isolamento afetivo*: "Não mereço ninguém que me ame. Quanto mais gosto de alguém, mais o afasto" (autopunição afetiva).
c) *Reincidência afetiva negativa*: Buscar novas companhias parecidas com a pessoa que nos fez ou ainda nos faz sofrer (profecia autopunitiva).
d) *Promiscuidade autopunitiva*: Entregar-me ao melhor lance, prostituir-me socialmente ou deixar que façam o que quiserem de mim (autopunição moral).

Autopunir-se é a maneira mais degradante de humilhação, porque provém de si mesmo. Repito: nas relações disfuncionais, nunca há só um causador.

Não seja injusto consigo mesmo nem se maltrate desnecessariamente. Divida a carga, elimine a autopunição e deixe que o perdão comece a agir.

A MODO DE CONCLUSÃO

Seu parceiro, acima de tudo e sem desculpas, deve amá-lo e respeitá-lo. Se nada disso acontece (devem ser as duas coisas ou nada), você está com a pessoa errada. Lembre-se: *quem o faz sofrer não o merece*.

O autorrespeito é um guia, uma luz no meio da escuridão. É o ponto de referência psicológico que lhe dirá quando você perdeu o norte. Quando a dignidade pessoal está ativa, o apego se dilui e perde força.

Pregar um *amor recíproco* é aceitar que todos os humanos são valiosos, inclusive você. Resignar-se a uma relação ruim automaticamente lhe tira o direito ao amor, porque você passa a ser cúmplice de sua infelicidade. Defender seus direitos e *recusar a humilhação* torna-o mais passível de ser amado, e *eliminar a autopunição* torna-o livre.

Para vencer o apego e não recair, sua mente tem que se acostumar a não negociar os princípios. Uma pessoa carente de ética é um indivíduo sem direção, influenciável e essencialmente contraditório. Mas a vida sempre lhe oferece outra oportunidade, uma maneira de começar de novo e limpar o passado. Nas profundezas de seu ser, há uma fortaleza que não foi tocada, uma reserva moral inexpugnável que o leva a renascer e a começar de novo. Use-a.

O princípio do autocontrole consistente

Se eu tiver medo de aranhas, a melhor maneira de vencer a fobia é permanecer tempo suficiente com elas para que meu organismo se habitue à adrenalina. Esse processo é chamado de *extinção*. Algo parecido pode se aplicar diante da morte de uma pessoa querida. A melhor fórmula é chegar à aceitação total e radical da perda mediante a exposição. Ou seja, promover o contato com tudo que recorde o falecido até esgotar a dor. Esse processo é chamado de *elaboração do luto*.

Mas, quando se trata de apego, a coisa é diferente. Não dá para vencer as dependências por exposição. Aqui, a melhor opção é o autocontrole e a resistência ativa. Recordemos que na dependência não há saciedade; pelo contrário, quanto mais droga recebe o dependente, mais dependência cria. Às vezes, parece que não existe limite.

Muitas pessoas apegadas e fartas de seu problema decidem equivocadamente acabar com a doença entrando na boca do lobo. A crença que as incentiva é: "Se eu enfrentar, melhor... Mais rápido acabo com isso". Mas o resultado dessa estratégia costuma ser o agravamento dos sintomas: mais amor, mais loucura e mais obsessão.

Não dá para processar a perda quando o doente está na UTI. Ninguém enterra um familiar vivo antes da hora, mesmo que esteja em estado de coma. Quando o indivíduo apegado perde toda esperança de reconciliação afetiva ou de melhora e aceita que não há mais nada a fazer, começa a realmente processar a ausência. Então, sim, a exposição pode dar resultado. Mas, antes, quando a dependência está viva e em pleno auge, qualquer aproximação da pessoa que se quer esquecer é ativar inutilmente a dor, sensibilizar o amor e fortalecer o apego.

Para realmente acabar com uma relação doentia e não recair na tentativa, a extirpação deve ser radical. Não podemos deixar metástases. A ruptura deve ser total e definitiva. Vejamos algumas estratégias.

a) *Análise parcializada conveniente.* Conforme indicamos no tópico do realismo afetivo, não devemos esquecer o ruim. E, às vezes, também devemos ressaltá-lo. Quando se trata de relações muito doentias, a melhor estratégia é focar no ruim e fazer uma análise meio parcializada do vínculo. Às vezes, um só elemento negativo tem mais peso que muitos positivos. Por exemplo, se uma mulher castigasse cruelmente um de seus filhos até mandá-lo para o hospital, esse único fato ofuscaria qualquer aspecto resgatável de sua personalidade. Ou se um pai abusasse sexualmente de sua filha, importaria pouco se fosse bom trabalhador, carinhoso ou de boa família. A relação seria insustentável. Manter os aspectos negativos presentes, ativos e disponíveis não significa viver amargurado e ressentido. Ao contrário; recordar o ruim de uma maneira construtiva é repetir: "Graças a Deus consegui me separar" e "Graças a Deus não tive nenhuma recaída".

b) *Falar com pessoas que estão do nosso lado.* O pior que pode acontecer com alguém que está se separando é ter amigos "objetivos". Não falta quem queira parecer equilibrado e equânime: "Vocês se separaram? Que pena! Ele era um homem com muitas coisas boas" ou "Sua ex-mulher era uma pessoa excepcional... Que pena!". A maioria opina sem ter ideia de nada. Além do mais, como os sujeitos apegados escondem seus problemas de relacionamento, aqueles que lhe são próximos costumam ignorar os detalhes domésticos. É melhor se cercar de indivíduos incondicionais que nos incentivem e apoiem nossa decisão. Se eu quero me afastar de uma relação anormal ou inconveniente, não preciso de imparcialidade e mesura, e sim que me ajudem a fugir do suplício e me afastar. Nesses casos, melhores amigos são aqueles que nos dizem o que precisamos ouvir para não voltar atrás.

c) *Controle de estímulo, ou boas evitações.* É preciso cortar as fontes inconvenientes de informação e não se submeter aos estímulos que acionam a urgência afetiva. Durante um tempo, é melhor não falar com a pessoa que queremos abandonar; não a ver, evitar lugares nostálgicos ou gente que nos faz recordá-la. Também é preciso bloquear, na medida do possível, todos os estímulos sensoriais que ativem esquemas passados. Perfumes, fotos, música, texturas ou sabores que gerem evocação devem ser totalmente eliminados. Dois ou três meses sem saber da pessoa amada podem ser um bom começo. Mas só um começo. A vigilância e a atenção não devem desfalecer, às vezes durante anos. Se ocorressem encontros próximos do terceiro ou segundo tipo, provavelmente o dependente recairia e começaria uma nova etapa de descontrole total.

O princípio do autocontrole consistente

Embora o autocontrole e a autorregulação do comportamento não sejam a solução do problema, ajudam a estabelecer as condições para começar um trabalho mais profundo, pelo qual se possa fortalecer o déficit que se esconde por trás de cada apego. A autodisciplina é o oposto da imaturidade; fortalecê-la é amadurecer emocionalmente e aprender a lidar com os impulsos que o apego desencadeia. Não pode haver dependência onde há autocontrole.

Algumas palavras para concluir

A arte de amar sem apegos resulta de uma estranha mistura de capacidades difíceis de alcançar. Não apenas pela complexidade que a experiência afetiva implica mas também pela resistência que nossa cultura desenvolveu a esse respeito.

A maioria dos requisitos necessários para amar sem dependências não costuma ser bem-vista pelos valores sociais tradicionais. Para muitos, a liberdade afetiva é uma forma de libertinagem que precisa ser mantida sob controle. Como se a ausência de dependência fosse em si mesma perigosa. Um amor independente sempre incomoda. Um amor sem apegos é irreverente, fantástico, insólito, loquaz, transcendente, atrevido e invejável.

Amar sem apegos é amar sem medos. É assumir o direito de explorar intensamente o mundo, de ser responsável por si mesmo e de buscar um sentido de vida. Também significa ter uma atitude realista perante o amor, fortalecer o autorrespeito e o autocontrole. É curtir a dupla prazer/segurança sem transformá-la em imprescindível. É fazer as pazes com Deus e com a incerteza. É jogar a certeza no lixo e deixar que o universo cuide de nós. É aprender a renunciar.

O amor é feito sob medida de quem ama. Construímos a experiência afetiva com o que temos dentro de nós; por isso, nunca há duas relações iguais. O amor é o que somos. Se você for irresponsável, sua relação afetiva será irresponsável. Se você for desonesto, vai se unir a outra pessoa cheia de mentiras. Se for inseguro, seu vínculo afetivo será ansioso. Mas se você for livre e mentalmente saudável, sua vida afetiva será plena, saudável e transcendente.

Amar sem apegos não implica insensibilizar o amor. A paixão, a força e o impacto emocional nunca se apagam. O desapego não amortece o sentimento; ao contrário, exalta-o, liberta-o de seus lastros, solta-o, amplifica-o e o deixa fluir sem restrições.

Comece hoje. Aceite o risco de abraçar seu parceiro sem angústias. Se tiver clareza sobre o que você é de verdade e até onde pode chegar, não haverá medos irracionais. Só os atritos normais e alguns desajustes. A convivência não é uma panaceia, mas também não é infelicidade total. O amor interpessoal é um processo em ebulição permanente, vivo e ativo, no qual desenhamos a cada instante nosso ecossistema afetivo, nosso lugar no mundo. É a operação pela qual nos adaptamos ao outro, sem deixar de sermos um. Podemos nos encaixar sem nos violentarmos, segurar-nos devagar e com ternura, como quem não quer machucar nem a si nem ao outro. E essa união maravilhosa de ser dois que parecem um só é possível com paixão e sem apegos.

Bibliografia

ACKERMAN, D. *A Natural History of Love*. Nova York: Random House, 1994.

ALBORCH, C. *Solas*. Madri: Ediciones Temas de Hoy, 1999.

AMERICAN PSYCHIATRIC ASSOCIATION. *Manual Diagnóstico y Estadístico de los Trastornos Mentales (DSM IV)*. Barcelona: Masson, 1995.

BARTHES, R. *Fragmentos de un Discurso Amoroso*. Madri: Siglo XXI.

BEATTIE, M. *Libérate de la Codependencia*. Málaga: Editorial Sirio, 1992.

BEAUVOIR, S. de. *El Segundo Sexo*. Buenos Aires: Paidós, 1977.

BECK, A. T. *Con el Amor no Basta*. Barcelona: Paidós, 1990.

BECK, A. T.; WRIGHT, F. D.; NEWMAN, C. F.; LIESE, B. S. *La Terapia Cognitiva de las Drogodependencias*. Barcelona: Paidós, 1999.

BOWLBY, J. *La Separación Afectiva*. Barcelona: Paidós, 1993.

_____. *Una Base Segura:* Aplicaciones Clínicas de una Teoría del Apego. Buenos Aires: Paidós, 1989.

_____. *Vínculos Afectivos:* Formación, Desarrollo y Pérdida. Madri: Ediciones Morata, S.A., 1986.

BROOKNER, A. *Soledad de Fondo.* Barcelona: Ediciones B, 1990.

COMTE-SPONVILLE, A. *El Pequeño Tratado de las Grandes Virtudes.* Santiago: Editorial Andrés Bello, 1997.

DONOVAN, D. M.; MARLATT, G. A. *Assessment of Addictive Behaviors.* Nova York: Guilford Press, 1988.

DOWLING, C. *El Complejo de Cenicienta.* Barcelona: Grijalbo, 1981.

ELLIS, A. *A Guide to Well-Being Using Rational Emotive Behavior Therapy.* Nova York: Carol Publishing Group, 1998.

FISHER, H. E. *Anatomía del Amor.* Buenos Aires: Emecé, 1996.

FRANKL, V. E. *Ante el Vacío Existencial.* Barcelona: Editorial Herder, 1994.

FROMM, E. *El Arte de Amar.* Barcelona: Paidós, 1998.

GIDDENS, A. *La Transformación de la Intimidad. Sexualidad, Amor y Erotismo en las Sociedades Modernas.* Madri: Editorial Cátedra, 1998.

GÓMEZ, V. *La Dignidad.* Barcelona: Ediciones Paidós, 1995.

KRISHNAMURTI. *Antología Básica*. Madri: Ediciones Edaf, 1997.

LAZARUS, R. S.; LAZARUS, B. N. *Passion and Reason*. Nova York: Oxford University Press, 1994.

LIAÑO, H. *Cerebro de Hombre, Cerebro de Mujer*. Barcelona: Ediciones B, 1998.

LIPOVETSKY, G. *La Tercera Mujer*. Barcelona: Anagrama, 1999.

MASLOW, A. *El Hombre Autorrealizado*. Buenos Aires: Troquel, 1993.

MILLER, W.; ROLLNICK, S. *La Entrevista Motivacional*. Argentina: Paidós, 1999.

MILLON, T.; DAVIS, R. *Trastornos de la Personalidad: Más Allá del DSM IV*. Barcelona: Masson, 1999.

ORFORD, J. *Treating Addictive Behaviors*. Nova York: Plenum Press, 1986.

PAZ, O. *La Llama Doble*. Bogotá: Editorial Planeta, 1998.

PLATÃO. *Diálogos*. Bogotá: Panamericana Editorial, 1998.

RISO, W. *Aprendiendo a Quererse a Sí Mismo*. Bogotá: Grupo Editorial Norma, 1996.

_____. *Deshojando Margaritas*. Bogotá: Planeta, 2016.

RUTTER, M. *La Deprivación Materna*. Madri: Morata, 1990.

SAFRAN, J. D.; SEGAL, Z. V. *El Proceso Interpersonal en la Terapia Cognitiva*. Barcelona: Paidós, 1994.

SARTRE, J. P. *El Existencialismo en un Humanismo*. Barcelona: Editorial Edhasa, 1992.

SCHAEFFER, B. *¿Es Amor o Es Adicción?* Barcelona: Apóstrofe, 1998.

SCHOPENHAUER, A. *El Amor, las Mujeres y la Muerte*. Barcelona: Edicomunicación, S.A., 1998.

SPINOZA. *Ética*. Madri: Alianza Editorial, 1995.

WATTS, A. *Naturaleza Hombre y Mujer*. Barcelona: Editorial Kairós, 1988.

YOUNG, J. E.; KLOSKO, J. *Reinventing Your Life*. Nova York: Plume, 1994.

**Acreditamos
nos livros**

Este livro foi composto em Adobe Garamond
Pro e impresso pela Geográfica para a
Editora Planeta do Brasil em junho de 2025.